나의 직업일지

나의 직업일지

발 행 | 2023년 12월 18일
저 자 | 김효진, 구혜인
펴낸이 | 한건희
펴낸곳 | 주식회사 부크크
출판사등록 | 2014.07.15(제2014-16호)
주 소 | 서울특별시 금천구 가산디지털1로 119 SK트윈타워 A동 305호
전 화 | 1670-8316
이메일 | info@bookk.co.kr

ISBN | 979-11-410-6081-7

나의
직업일지

김효진 · 구혜인 지음

목차

제 1장 라흐마니노프의 밤

구혜인

"모두가 잠에 든 시간에 뜬 눈으로 밤을 지새우는 한 남자가 있다. 그 남자는 밤새 몸을 뒤척이다가 해가 뜨자마자 몸을 일으킨다. 넓은 방 속 덩그러니 놓여진 침대와 흐트러짐 하나 없이 각도를 유지한 채 있는 검정 빛의 선반, 먼지 한 톨 없는 순백의 조명이 들어서 있다."

천재 피아니스트

모두가 잠에 든 시간에 뜬눈으로 밤을 지새우는 한 남자가 있다. 그 남자는 밤새 몸을 뒤척이다가 해가 뜨자마자 몸을 일으킨다. 넓은 방 속 덩그러니 놓여진 침대와 흐트러짐 하나 없이 각도를 유지한 채 있는 검정 빛의 선반, 먼지 한 톨 없는 순백의 조명이 들어서 있다.

"세계 3대 콩쿠르 번클라이프 최연소 우승자, 정찬영... 10년만에 첫 안식년 입장 밝혀 · · "

"피아노의 황제, 정찬영. 안식년 전 마지막 공연 내일 개최··· "

그랜드 피아노가 있는 대리석 바닥의 거실로 나오자 찬영의 얘기가 연신 TV에 나온다. 그동안 찬영의 삶은 너무 소란했다. 피아노를 단 하루도 손에 놓지 않았다. 스승님이 돌아가셨던 날도 말이다. 스승님은 자신이 살 날이 얼마 남지 않았다는 것을 알면서도 얘기하지 않았다. 단지,_피아노를 절대 놓지 말라고 말할 뿐이었다.

찬영 또한 피아노가 너무 좋아서 이제까지 해 온 것이다. 그래도 스승님, 저 이제 좀 쉴 때도 됐잖아요. 의사 선생님께 불면증이라는 진단을 받았을 때 이제는 정말 피아노를 놓아주어야겠다고 생각했다. 내일이 나의 삶에 마지막 공연일지도 모른다. 말만 안식년이지... 안식년에서 은퇴로 가는 피아니스트가 얼마나 많은가!

찬영은 리허설을 위해 나갈 채비를 했다. 겨울의 차고 버석한 공기가 그를 감쌌다. 오케스트라 단원들 속 피아노 한 대. 덩그러니 놓아져 있는 한 대가 화려한 조명을 받고 있음에도 쓸쓸해 보인다. 의자에 앉아 숨을 크게 들이쉰 후 연주를 시작한다. 다음 곡, 그다음 곡... 지휘자 선생님과 찬영의 이마에서 땀이 송글송글 맺히다가 이내 떨어지는 것이 느껴진다.

"지휘자님, 이 곡 한 번만 더 부탁드리겠습니다."

"찬영아. 이번이 마지막인 걸로 하자. 시간을 보렴." 선생님의 곱게 진 주름살에 미소가 더해져 더 깊게 패였다. 하지만, 주름 따위가 그녀 특유의 온화한 아우라를 감출 수는 없었다.

아... 시계를 보니 벌써 시침이 12로 넘어가기 직전이었다. 연주회장 안에서 시간이 멈춘 듯했다. 바깥의 시간도 감히 가늠할 수 없었으나 그저 시계를 보고 깜깜해졌을 바깥을 떠올릴 뿐이었다.

"리허설 끝내겠습니다. 오랫동안 고생해 주신 지휘자님,

오케스트라 분들 감사드립니다. 음향, 조명 감독님들도 수고하셨습니다. 내일 뵙겠습니다."

내일을 끝으로 당분간은 피아노를 치지 않을 테다. 찬영은 침대에 누워 열 손가락을 하늘위로 쭉 펴보며 다짐한다. 그리고는 잠에 들기 위한 몇 가지 준비를 해본다.

첫 번째, 캐모마일과 라벤더 오일을 적절히 블렌딩 한 아로마 캔들을 켜 놓는다. 두 번째, "세상에서 가장 나른하고 졸린 ASMR 1위"라는 제목의 영상도 튼다. 세 번째, 빛이 들어오는 걸 모조리 막아준다는 암막 커튼도 친다.

그리곤 극세사 이불에 살포시 몸을 누인다. 찬영은 과연 잠에 들었을까..?

그 결과는 뭐 뻔하다. 잠을 잔 것도 아니고, 잠을 아예 안 잔 것도 아닌. 일정한 숨결이 드나들지만 작은 소리만 들려도 뒤척거렸다. 몽롱한 상태의 지속이었다. 내일이 공연이라 수면제를 못 먹는다는 사실이 더 괴로웠다.

연주회 당일. 찬영은 담당 스타일리스트 선생님에게 머리를 손질받고 건네 든 정장과 구두로 갈아입는다. 큰 키, 마르지만 탄탄한 몸과 정장이 숨 막히게 어우러졌다.

탈의실에서 나온 찬영을 두고 스타일리스트 선생님은 한마디를 던진다.

"역시 넌 정장이 잘 어울려. 이 모습, 오래 볼 수 있는거지?"

사실상 은퇴 안 할 거지?를 물어보는 말이다. 찬영은 최대한 예의 있는 단어를 찾아서 대답했다. 뒷말은 못 들은 척하며, 옅은 미소와 함께.

"감사합니다ㅎㅎ."

"탁.탁.탁.탁"

찬영의 손톱이 하나둘씩 잘려 나가 하얀 이면지에 떨어진다. 쇠끼리 부딪치며 마찰하는 사이로 가는 반달 모양의 손톱들이 튀어 나간다. 떨어진 손톱들이 어찌나 정확하고 반듯하지. 손톱을 깎는 손놀림도 예사롭지 않다.

"찬영아. 또 자를 손톱도 없는데 자르지?"

찬영의 엄마가 대기실 문을 열자마자 소리쳤다. 엄마는 깔끔한 검은색 정장 치마와 흰색 블라우스 차림이었다.. 과도하게 빨갛고 짙게 바른 립스틱이 약간 촌스러워 보였다.

12

"그런 거 아니야."

"오늘 공연, 떨지 말고 잘해. 온 세상이 널 보러 왔으니까."

"응 나 잘할 거야."

"찬영씨, 이제 들어가실 게요."

옷 매무새를 다듬고 심호흡을 한 번 한 후 관객들의 앞에 선다. 담담하게 웃으며 고객들에게 고개 숙여 인사. 연주자들과 지휘자들에게는 예의와 격식을 차린 눈인사. 이내 뒤를 돌아 피아노 의자에 앉는다. 건반에 손을 올리고, 눈을 감는다. 지휘자가 신호를 주면 연주는 시작된다.

첫 곡은 차이코프스키의 사계 중 11월 트로이카.

밝고 명랑하게 시작되는 도입부. 11월의 겨울, 말 세 마리가 끄는 썰매인 트로이카는 방울 소리를 내며 달린다. 그런데 세차게 달린 말이 약간 주춤한 듯 구슬프고 서정적인 멜로디가 들려온다. 또다시 방울이 세차게 흔들린다. 그리곤 느려지는 템포와 종소리가 슬프게만 들리다가 이내 사라져 버린다.

건반에서 손을 뗀 순간, 박수갈채가 터져 나왔다. 피아노에서 시선을 돌리고 관객석을 멍하니 보았다. 새삼 코끝이 찡해졌다. 2층까지 관객들이 빼곡히 차 있었다. 내 피아노가 헛되진 않았구나. 관객석에서 다시 피아노로 시선을 돌리려던 중 한 여자가 눈에 들어왔다.

어라? 그 여자는 의자에 몸을 축 늘이고 고개를 떨어뜨리고 쿨쿨 자고 있는 듯했다. 내 공연에서 잔다고? 이거 봐라. 저렇게 앞자리, 그것도 가운데에서 자는 사람은 처음 보았다. 저러다 곧 침까지 흘리면서 자겠네.

그 다음곡은 바흐의 '신포니아' 모음곡.

연주가 끝내자마자 아까의 박수는 잊으라는 듯 힘찬 박수와 함성이 터져 나왔고 찬영은 그 여자 쪽을 흘끗 보았다. 어어? 침 한방울이 주르륵 떨어지고 있었다. 크크. 아마 일어나고 나면 좀 쪽팔리시지 않을까 싶다.

마지막 연주곡은 역시 찬영을 번클라이프 콩쿠르의 우승으로 이끌었던 라흐마니노프 피아노 협주곡 3번이었다. 세상에서 가장 연주하기 어려운 피아노 협주곡 중 하나. 테크닉의 난이도가 높을 뿐 아니라 그 안에 음악적 표현을 살리는 것이 쉽지 않다.

깔끔하고 군더더기 없는 평범한 연주로 시작했지만 중반부 연주는 이내 달라진다. 힘과 에너지가 더해진 속주. 그토록 평범하고 착한 아이는 어디 갔는지 모를 정도로 감정이 한껏 증폭된다.

'내 연주에, 내 손가락에서 단 일초도 눈을 떼지마'라고 말하는 듯하다.

오케스트라와 피아노의 격정적인 대립, 그리고 결국 폭발하는 감정. 그리고 언제 그랬냐는 듯이 감정의 여운만 남긴 채 음울하고 서정적으로 돌아간다.

짜릿함. 기쁨. 희열. 어디서도 느껴보지 못하는 감정이다. 하지만, 그 속에서도 감정이 연주에 앞서나가지는 않는다. 하나도 부담스럽지 않게 우리를 이끌어 나간다.

이제는 그냥 그에게 몸을 맡긴 채, 그게 전부이며, 정답이라는 듯이, 따라갈 수밖에 없었다. 그가 마지막 터치를 한 후 양손을 하늘 높이 들어냄과 동시에 지휘자도 지휘봉을 하늘 높이 들면 연주는 막을 내린다. 뜨거운 함성과 박수갈채가 이어진다.

"WOW!!!" "BRAVO!!!"

찬영의 가슴 속에도, 온 혈관에도, 땀 한방울도 어쩐지 뜨거워졌다. 심장은 튀어나올 것처럼 쿵쾅쿵쾅 뛰었다. 코로 숨을 크게

들이마셔 터질 것 같은 장기와 혈관들을 진정시켜야 했다. 찬영은 이제 열기가 이어지고 있는 관객석을 아래에 두고 무대 맨 앞에 섰다. 어쩌면 마지막이 될 인사를 하는 도중 그 여자가 보였다.

여자는 고개를 돌리며 상황파악을 하곤, 헝클어진 머리를 정리했다. 그리곤 아무렇지도 않은 척 분위기에 맞춰 박수를 쳤다. 풋. 찬영은 애써 웃음을 참으며 참착하게 연주회장을 나왔다. 대기실로 가는 도중에도 침 닦는 모습이 떠올라 입꼬리가 씰룩 댔다.

연주회를 끝내고 집에 돌아온 찬영은 침대에 쓰러지듯이 누웠다. 불현듯 떠오른 그 여자의 모습에 내 공연에서 잠이 오나? 아니 저렇게 좋은 자리에서 자? 티켓팅은 왜 한 거야?라고 생각했다. 그런데 이내 침 닦는 장면을 떠올리며 또 한번 풋 하고 웃었다.

늘어진 몸을 애써 일으켜 샤워를 하고 또 만반의 준비를 마쳤다. 오른쪽으로 누웠다가, 왼쪽으로 누웠다가, 정자세가 좋다는 말이 떠올라 다시 정자세를 취했다가, 너무 경직되어 있다는 생각에 이불을 끌어 안기도 했다. 그래도 잠이 오지 않자 결국에는 이불을 발로 차버리고는 수면제를 먹었다.

갑자기 내 공연이던 말던 잠만 잘 자던 그 여자가 부러워졌다. 그 여자처럼 곤히 잘 수 있다면 소원이 없겠다. 그러면 이런 수면제 따위는 먹지 않아도 될 텐데. 피아노도 마음 놓고 칠 수 있을 텐데.

16

"삐이이이익. 삐이이익"

[서울특별시] 오늘 오전 1시 08분 서울지역 경계경보 발령. 국민 여러분들께서는 대피할 준비를 하시고, 노약자나 어린이 우선 대피할 수 있도록 해주시기 바랍니다.

이게 무슨 일이람. 심장을 찌르는 소리에 깨어난 찬영은 포털 사이트와 뉴스를 찾아보았지만 아무 정보도 얻지 못했다. 암막 커튼을 걷어보아도 대피할 준비를 하고 있는 국민 여러분은 온데간데없었다. 그 대신 그 자리로는 집어삼킬 듯한 어둠과 새벽바람을 타고 들어오는 한기가 있었다.

어차피 다시 잠드는 게 무리라는 걸 아는 찬영은 트레이닝 바지에 따뜻해 보이는 패딩과 모자까지 푹 눌러쓰고는 어디론가 향했다. 그랜드 피아노가 있는 거실을 지나고 찬영의 집 마당과 대문을 지나 추워진 날씨에 입김을 실감하며 걸었다.

찬영이 도착한 곳은 피아노 학원이었다. 조금 허름해 보이는 아파트 상가의 계단을 타고 올라가자 모차르트 피아노 학원이라는 간판이 눈에 들어왔다. 세계적인 피아니스트 정찬영이 모차르트 피아노 학원에는 무슨 일일까?

은은하게 퍼져 올라오는 곰팡이 냄새는 여전하네. 찬영은 익숙한 향기를 맡으며 7살 즈음 조막만 한 손으로 빨간 사과를 색칠하면서 피아노곡을 연습했을 때를 잠시 떠올렸다. 신발장에는 200cm 정도 되어 보이는 슬리퍼가 잔뜩 매워져 있었고, 고개를 들면 바로 중앙에 꽤나 큰 그랜드 피아노가 있었다. 서정♡준빈, 김민정 바보 똥개와 같은 유치한 낙서들이 벽면을 가득 채운 피아노 방들도 있었다.

찬영은 곧장 그랜드 피아노에 앉았다. 무슨 곡을 칠까 잠깐 고민하는데, 내 자신이 한심하게 느껴졌다. 피아노를 안쳐보겠다고 안식년까지 선언해버렸는데 또 동네 상가 학원에서 피아노를 치고 있는 꼴이라니. 그렇지만 이 잠도 못 자는 새벽에 달리 할 짓도 없지 않은가. 그래 그래. 다 어쩔 수 없는 노릇이다.

오늘. 아니 12시가 넘었으니 어제가 된 공연을 떠올리며 다시 라흐마니노프의 피아노 협주곡 3번의 세계로 빠져들었다. 라흐마니노프가 상트페테르부르크 음악원에서 피아노를 배울 때 즈음이었다. 누나가 죽었고 아버지는 가족을 떠났다. 그는 천재였고 촉망받았지만 25세에 발표한 교향곡 1번의 반응은 참담했다. 그에게 혹평이 쏟아졌고, 3년간 거의 작곡활동을 하지 않았다.

찬영은 라흐마니노프가 가여웠다. 피아노를 사랑했고 동시에 피아노에게 버림받기도 했다. 몰락한 천재가 될까봐 발발 떠는 거,

그런데 합리화할 구석도 없는 거, 그래서 결국 찬영은 이런 자신을 죽도록 미워하는 방법밖에는 없었다.

"띠링-"

연주가 끝날 때쯤 갑자기 학원의 문이 열리더니 사람이 들어왔다. 이 시간에는 올 사람이 없을 텐데? 혹시 원장님이신가? 어딘가 익숙한 형체가 있었다. 아니 그 여자가 왜 여기에..? 내가 잠을 못 자서 헛것이 보이나. 눈을 벅벅 비빈 후 다시 봐도 그 여자였다. 뭐 알고 보니 내가 아는 사람이던가? 아니면 혹시 내 사생팬??

"정말 죄송한데 여기 원장님이 바뀌었나요?"

벙쪄있던 찬영에게 그녀가 최대한 예의 바르게 물었다. 곱슬기 하나 없이 반듯하고 부드러운 머릿결의 긴 머리. 살짝 올라간 눈꼬리가 약간 차가운 인상을 풍기기도 했으나 주먹만 한 머리에 비해 오목조목하게 들어간 눈과 오똑한 콧망울 도톰한 입술이 눈에 선명하게 들어왔다.

"아니요." 의심을 거두지 못한 찬영은 눈을 가늘게 뜨고 최대한 딱딱하게 말했다.

"그렇군요. 실례했습니다. 그런데 혹시요… 아까 치셨던 그 노래 제목 알려주실 수 있을까요?"

알면서 모르는 척이라. 찬영은 속으로 코웃음을 쳤다. 무쌍의 살짝 내려간 눈꼬리와 하얀 피부. 그리고 눈에 닿을락 말락한 머리카락이 덮여져 만들어내는 신비로운 분위기. 소녀팬들을 여럿 울렸던 찬영에게도 이런 수법은 처음이었다. 순간 머릿속에 좀 놀려줄까?하는 생각이 들었다.

"알려주면 뭐 해주실 건데요?"

여자는 미간에 주름이 질 정도로 당황한 표정을 짓더니 눈을 도록도록 굴리기 시작했다. 성공. 이렇게나 타율이 좋을 줄이야. 찬영은 속으로 승리의 미소를 지었다.

"잠.. 잘 못 자지 않아요?" 여자가 찬영을 뚫어져라 쳐다보고선 조심스럽게 말한다.

???. 찬영의 눈이 커지려다가 애써 자연스러운 척을 해본다.

"어떻게 아셨습니까?"

"눈 주위가 푸석푸석하고, 다크서클이 많이 내려와 있어요. 그거 외의 다른 부분은 뭐라 설명해 드리긴 어렵지만 불면증을 가진 제

내담자와 느낌이 많이 비슷해서요."

불면증 있는 내담자와 닮았다라…

"인정하긴 싫지만 맞습니다. 몇 달 전에 불면증 진단 받았습니다."
찬영의 눈빛이 사뭇 달라졌다.

"제가 해결해 드릴 수 있어요. 그러면 그 곡, 알려주실래요?

"어떻게 해결해 주실지 먼저 얘기해 주셔야 되는 거 아닌가요?"

"최면 치료요. 단순한 불면증은 간단한 암시로도 쉽게 치료가
되고요. 복잡한 경우에는 근원적인 마음의 문제를 다뤄야 합니다."

최면 치료라니… 기껏해야 수면제 처방이 전부였던 찬영에게 너무
낯선 것이었다. 공포영화에 나올 것만 같이 스산하고 께름칙한
느낌마저 들었다.

"최면 치료라니 당황스럽네요. 그 곡 알려 드리긴 힘들 것 같아요."
원래라면 그냥 곡 이름을 알려주고 말아버릴 것이었지만 이
여자에게만큼은 왜 인지 알려주고 싶지 않은 마음이 들었다. 일단
그냥 나에게 소중한 곡이니 그렇다고 해 두자.

무의식

3일간 집에만 있으니 몸에 좀이 쑤시기 일보 직전이었다. 이제껏 보지 못했던 드라마들도 정주행해 보고, 밖에서 먹는 음식에 진저리가 나 직접 요리를 해보았지만, 뭐 하나 제대로 되는 것이 없었다. 토스트에서 새큼새큼한 맛이 나는 건 또 뭐람.

거실을 지나다닐 때마다 멀뚱히 서 있는 그랜드 피아노를 절대 열지 않으리라 노력하는 중이다. 다만, 혹독한 추위와 함께 짧아진 해가 저물 때, 못이기는 척 굳게 닫혀 있던 뚜껑을 열고는 건반을 친다.

바흐의 시칠리아노. 바흐를 연주할 때면 낮은 자세로 다가가야 한다. 섬세하게, 나를 보여주고 싶은 마음 따위는 최대한 정제해야 한다. 음 하나하나를 신중하고 또렷하게 눌러야 한다. 점점 어두워지는 건반의 명도와 함께 연주도 점점 명도가 낮아진다.

아주 작은 소리로, 귀를 기울여야만 들리게 점점 더 어둠 속으로 빨려 들어갈 것만 같이. 하. 숨을 너무 오래 참았는지 연주가 끝나자마자 숨을 몰아쉬었다.

찬영은 코트와 목도리를 걸치고 집 밖을 나섰다. 12살 때쯤 스승님이 데려갔었던 선일 레코드 샵으로 향했다. 네온사인으로 적힌 record 중 c와 r이 제 수명이 다했는지 3초에 한 번씩 껌뻑거렸다.

해리포터에서나 볼법한 가게였다. 나무문이 벗겨지고 뻐드러져 세게 잡아당겨도 잘 열리지 않았다. 뻑뻑한 문을 잡아당겨 문을 열면 왼쪽 선반에는 K-pop 음반이, 오른쪽에는 트로트와 힙합 음반들이 있었다.

벽면에 둘러싸인 LP판들을 지나면 구석에 자리한 클래식 음반 코너가 있었다. CD 플레이어가 비치되어 있어 음반을 사기 전에 들어볼 수 있다는 게 이 음반 가게의 장점이었다. 그리고 클래식 코너에는 사람이 많이 없어 눈치 보지 않고 오랫동안 음악을 들을 수 있었다.

클래식 음반 코너에 처음 왔을 때 걸어서 세계 속으로를 보는 느낌이었다. 10평도 안 돼 보이는 음반 가게의 구석에서 영국, 프랑스, 독일, 이탈리아, 러시아 등 세계 거장들의 음악과 연주를 다 여행할 수 있었다.

언제나 구석에 앉아서는 좋은 연주란 무엇일까. 좋은 음악이란 무엇일까. 한 세대를 풍미하고 인정받았던 연주자들의 음악을 들으면서 찬영은 생각했었다. 그런데, 아무리 생각해도 좋은 음악이 무엇인지 모르겠어서 대신 그냥 내가 좋은 음악을 하자고 다짐했었다.

자연스러운 음악이 좋았다. 언제 한 번 마르타 아르에이치의 베토벤 협주곡 연주를 들은 적이 있었다. 연주는 좋았지만, 뭐랄까… 베토벤스럽지 않았다. 베토벤의 정석은 확실히 아니었고, 벗어났다고 해도 예상 범위에서 훨씬 더 벗어났다.

말도 안 되게 특이했는데, 그 연주가 좋았다.. 베토벤의 정석으로 연주하면 작곡가만 보이거나 개성이 많이 담기면 연주자만 보이는 게 일반적인데, 작곡가와 연주가가 같이 보였다. 그러니까, 아르에이치와 베토벤이 같이 연주하는 것 같았다.

찬영은 오늘도 들을 음악을 고르기 위해 선반에 있는 찬찬히 앨범을 들여다보았다. 반대편 선반을 보기 위해 발걸음을 돌리는 순간, 무언가 익숙한 형체가 있었다. 정확히 말하면 그 여자가 있었다.

왜 여기 있지라는 생각을 하기도 전에 재빨리 몸을 돌려 원래 있던 선반 쪽으로 숨었다. 혹시라도 숨소리가 들릴까 입으로 숨을 쉬었다. 심장은 콩닥콩닥 재빠르게 뛰었다.

"아.. 그 노래 진짜 좋았는데 뭐였지? 느낌이 따라라 따라라

딴딴딴딴 막 이랬는데…"

그녀가 중얼거리는 소리를 듣고 찬영은 새삼 놀란 표정이었다. 그 노래를 찾으러 온 거였다니… 괜한 마음에 심술을 부린 것에 죄송한 마음이 들었다. 빨리 알려드리는 게 마음이 편할 것 같았다.

"저기요. 혹시 피아노 학원에서 연주했던 노래 찾으러 온 거에요?" 여자의 등을 손가락으로 가볍게 톡톡 치며 말했다.

"엇…네." 아 깜짝이야. 이 남자가 여기 있지?

"그냥 제가 알려드릴게요. 그날은 심술부려서 죄송합니다."

"아뇨. 그날은 제가 죄송했습니다. 많이 놀라셨죠? 그냥은 알려주시지 마시고 저희 거래합시다." 갑자기 사과하는 남자 때문에 마음이 한층 누그러졌다. 좀 유치하고 괘씸한 남자라고 생각했는데 말이다.

"거래요?"

어제 말했던 걸 얘기하는 걸까?

"네. 저번에 말했던 그거요. 저는 찬영 씨가 잘 수 있게

도와드리고, 찬영 씨는 저에게 그 곡 알려주시고요."

"그쪽이 너무 손해 아닌가요? 저는 그냥 말 한마디면 끝나는데요?"

"아니에요. 그날 일도 죄송하고, 또 뭐 괜히 좀 죄송한 일도 있고 해서요." 찬영의 공연에서 쿨쿨 잤던 일을 떠올렸다.

"그렇다면 그 거래라는 거, 해보죠. 정찬영입니다."

"김민하입니다. 이쪽으로 연락처 보내주세요. 곧 뵙도록 하죠." 민하는 명함을 건네며 말했다.

최면 치료 전문 심리상담가 김민하… 명함에 적힌 직함과 이름을 보니 의도치 않게 큰일을 벌인 것만 같은 불안감이 들었다. 그래도 그냥 오늘은 별 생각하지 않기로 했다. 그러고는 주머니에 찔러 넣은 휴대폰을 꺼내 글자를 꾹꾹 눌렀다.

안녕하세요.

정찬영입니다.

좋은 밤 되세요.

*

그 여자가 이 밤에 내 침실에 있다니! 정말 어색한 광경이었다. 민하의 직업을 생각하며 TV에서나 보았던 검은 리클라이너 소파가 있고 약간의 핀 조명만 켜놓은 사무실로 오라고 할 줄 알았다. 사정을 들어보니 사무실로 부르면 돈을 받아야 하는 상황이 되니 퇴근 후에 우리 집에서 보잔다. 그리하여 내 침실이 그 최면 치료의 장소가 된 것은 정말 예상 밖이었다.

찬영은 그녀를 위해 따뜻한 캐모마일 차 한잔을 준비했다. 민하는 그 차를 천천히 마실 새도 없이 찬영을 침대에 누이고는 바로 치료에 돌입했다. 하긴, 다들 하루를 정리할 시간이니 그럴 만했다.

"잠을 방해하는 것의 대부분은 잡념에서 오는 긴장이나 불안입니다. 잠을 잔다는 것은 완전히 이완되고 느슨한 상태입니다.." 민하는 나긋하고 낮은 목소리로 말했다. 마치 새벽 연습 후에 들었던 심야 라디오 디제이의 목소리 같았다.

"과거의 기억, 과거의 감정을 다 버리는 작업을 할 겁니다. 우리는 우리가 진정으로 원하는 것만 잠재의식의 신념으로 넣어야 합니다. 그러니 잡념을 지우는 작업을 할 것입니다."

찬영은 민하의 나른한 목소리에 점점 빠져들었다.

"몸에 힘이 빠지면서 흐느적 해집니다. 온몸에 힘이 빠집니다. 이마, 눈썹, 눈도 힘이 축하고 빠집니다. 목, 어깨에도 힘이 빠지고 이불 속에서 아주 포근하게 누워있습니다. 배 속에 있는 모든 장기도 편안해집니다. 잠든 당신의 모습에서 영혼이 빠져나옵니다. 당신의 영혼은 자기 자신을 바라보고 있습니다. 어린아이와 같이 편안하게 자신을 바라보고 있습니다."

찬영은 눈을 감은 채로 침대에 누워있었다. 표정과 자세가 한결 편안해 보였다.

"영혼은 지구를 떠나 높은 하늘로 올라갑니다. 살고 있는 도시가 한눈에 보입니다. 고요하고 평화롭습니다. 이번에는 더 멀리 올라갑니다. 한참을 올라가던 당신의 영혼은 지구를 바라봅니다. 너무도 푸르른 지구는 참 아름답습니다. 한참을 바라보다가, 북두칠성이 있는 곳으로 더 올라갑니다. 당신의 영혼 앞에 엄청난 블랙홀이 자리 잡고 있습니다."

"블랙홀은 우주의 청소기입니다. 무엇이든 블랙홀 속에 빨려 들어가면 영원히 사라집니다. 영원히 없어집니다. 지금부터는 당신이 머릿속에 떠올리는 모든 생각을 블랙홀이 싹 빨아드릴 것입니다. 어떤 생각이든지 떠오르기만 하면 블랙홀이 싹 빨아드립니다. 지금까지 살아온 당신의 기억을 빨아드릴 것입니다.".

"가장 힘들었던 기억을 떠올려봅시다."

찬영은 엉덩이가 닳는 느낌이 들 때까지 피아노 의자에 앉아 피아노를 치는 자신의 모습을 떠올렸다.

"슉.슉.슉.슉.슉. 블랙홀 속으로 빨려 들어갑니다."

"다음으로, 가장 후회했던 기억을 떠올려봅시다."

이번엔 스승님이 돌아가셨을 때를 떠올렸다.

"슉.슉.슉.슉.슉. 블랙홀 속으로 한 톨도 남김없이 빨려 들어갑니다."

"마지막으로, 다 포기하고 싶다고 생각했던 기억을 떠올려봅시다."

재능과 노력으로 쌓아 올린 콩쿠르 우승이니 같은 것들도 10년을 채 가지 못한다. 새로운 연주와 해석을 보여주지 못하면 도태되고 만다. 먼저, 평론가들 사이에서 말이 나오기 시작하고 그다음으로는 같이 피아노를 쳐왔던 동료들에게서 소외된다.

그 와중에도 새롭고 무서운 재능을 가진 신예들은 치고 올라오기 바쁘다. 더 잘하고 싶은 마음, 타고난 재능과 센스를 보면 나도 모르게 질투가 나는 건 어쩔 수가 없었다.

멈춰있는 기분은 더럽게 싫다. 다른 사람들은 빠르게 달리는데 나는 멈춰있는 기분. 맑고 영롱하게 생명력을 갖추고 있던 피아노가 돌처럼 변하는 기분. 벽과 대화하는 기분 말이다.

"숙.숙.숙.숙.숙. 먼지처럼 자그마한 기억의 조각들도 블랙홀 속으로 빨려 들어갑니다. 자 이제 더 이상 무의식에 어떠한 감정과 기억이 남아 있지 않습니다. 온몸에 힘을 빼고 이불 속에 포근하게 누워있습니다. 서서히 당신의 뇌가 잠이 들기 시작합니다. 아주 편안하게 잠이 들기 시작합니다."

최면이 잘 걸렸는지 찬영은 잠에 들었다. 음 렘수면이네. 빠르게 돌아가는 눈알을 확인했으니 이제 마음 편히 집으로 돌아가면 되는 일이다. 길고 바르게 늘어선 찬영의 속눈썹이 눈꺼풀을 덮고 있는 모습을 뒤로 한 채 찬영의 집을 나섰다. 한기 서린 공기들이 민하의 코끝을 빨갛게 물들였다. 그리곤 핸드폰을 꺼내 "정찬영" 세 글자를 검색창에 두들겼다. 그냥 아주 단순한 호기심 같은 거다.

정찬영

출생 1995년

소속사 IMUSIC

30

학력 뮌헨 음악대학

수상 제12회 번클라이프 국제 피아노 콩쿠르 우승

제12회 번클라이프 국제 피아노 콩쿠르 청중 상

사이트 공식 홈페이지, 인스타그램

95년생이면 나보다 한 살 많네. 검색창에 다 나오니 얼마나 좋아. 민하는 세상 모든 사람들의 프로필이 검색창에 나왔으면 좋겠다고 생각하면서 스크롤을 내렸다.

"천재 피아니스트 정찬영… '피아노는 제 전부에요'"

"클래식계의 아이돌 정찬영… 안식년 입장 밝혀"

수식어도 참 다양했다. 천재니 아이돌이니 좋아 보이는 건 다 갖다 붙인 것 같았다. 게다가 안식년?? 부러워 죽겠네. 잘나가는 피아니스트면 저렇게 한 해 정도는 맘 놓고 쉴 수 있나 보다. 대리석 바닥인 거 보면 돈도 많아 보이던데. 팔자 한번 좋다. 부러워 죽겠네 진짜.

"금나래 지휘자가 말하는 정찬영…. 그는 다정함의 대명사죠'"

스크롤을 슥슥 내리다가 다정함이라는 글자에 멈춰 섰다. 지난 10년간 알고 지냈지만 찬영이가 화낸 걸 한 번도 본 적이 없어요. 다정함은 언제나 세팅 값이에요. 먼저 대기실에 도착해 남들이 추울까 히터를 먼저 틀어놓곤 해요. 사진이나 싸인을 거절한 적도 한 번도 없을걸요.

하긴, 집에 도착하자마자 내민 차 한 잔이 예사롭지 않다고 생각했다. 근데 솔직히 저 얼굴로 아무한테나 다정한 건 좀 괘씸한데? 민하는 궁시렁대며 집에 도착했다.

현관문을 열자 5~6평 정도 남짓의 원룸에 우드 톤의 자그마한 식탁이 가장 먼저 눈에 들어왔다. 식탁을 중심으로 채워진 소파 겸 침대와 무료함을 달래 줄 TV부터 감성을 챙겨줄 스탠드 조명까지 좁지만 없을 건 없는 집이었다. 민하는 집에 오자마자 잠옷으로 갈아입는다. 잠옷을 입지 않고 침대에 누워있는 일은 민하의 성격상 절대 불가능한 일이었다.

오늘은 어떤 향으로 해볼까나? 민하는 욕실 선반을 열고 둥글고 알록달록한 입욕제를 보며 말했다. 라벤더 향을 베이스로 통카의 달콤한 향이 섞인 입욕제를 넣고 욕조에 물을 가득 채웠다. 김이 솔솔 나와 따뜻한 습기가 민하를 감쌌다. 이렇게 퇴근 후에 욕조에 몸을 폭닥 담그고 뜨겁게 지지는 것이 하루를 살아가는 낙이다.

사실상 초과근무까지 해 피곤한 하루를 보낸 민하는 곧장 불을 끄고 침대에 누웠다. 기억을 한 톨도 남기지 않고 빨아들이는 블랙홀을 생각하며 스르륵 잠에 들었다.

다음 날, 민하는 지하철에 실려 익숙하게 서초동의 사무실로 향했다. 40대 여성이시고 증상은 불면증이네? 민하는 차트를 확인한 후 들어오시라고 안내했다. 상담실에 들어 온 중년여성은 배우라고 해도 믿을 만큼 화려한 외모를 가지고 있었다.

"불면증은 언제부터 시작되셨어요?"

"5~6년 전쯤인가? 자궁에 암이 발견되어서 수술을 했어요. 그 이후로는 예민한 건지 통 잠을 못 자요."

"그러면 증상이 꽤 오래되셨네요? 점점 더 증상이 심해지시던가요?"

"네 최근에는 남편과 싸우는 일이 많아지면서 더 자는 게 힘들어졌어요."

이렇게 오래된 불면증에다가 최근엔 더 심해졌다니. 치료에 들어가기 전에 환자의 이야기를 더 들어봐야겠다고 생각했다.

"어렸을 때부터 부모님이 자주 싸우셨어요. 집은 가난했고, 부모님은 생계를 유지하느라 항상 바쁘셨어요.. 결혼은 두 차례나 했는데, 첫 남편은 너무 무능했어요. 그런데 이번 남편은 나이는 많아도 능력도 있고, 잘해주는 모습이 좋았죠. 저는 남들에게는 잘하고 살갑게 지내려고 하는데, 유독 남편에게는 잘되지 않아요. 지기 싫어하고 자꾸만 고집을 부리죠."

"그러셨군요. 솔직하게 이야기해 주셔서 감사해요. 상담은 잘 마치셨고요. 프런트로 나가셔서 치료 날짜 잡으시면 될 것 같아요."

상담을 마치고 나니 문자가 하나 와있었다.

안녕하세요.

정찬영입니다.

덕분에 잠들었습니다.

감사합니다.

순식간에 민하의 얼굴에 미소가 번졌다. 고맙다는 말은 언제나 기분 좋았다. 블랙홀 시각화가 잘 통한다면 블랙홀 시각화를 자기 최면할 수 있는 법만 가르쳐주면 끝나는 일이니 간단했다. 그래서 민하는 바로 메세지를 보냈다.

다음 치료는 언제가 좋을까요?

그러자 곧장 답장이 왔다.

선생님 편할 때요.

혼란

얼마 되지 않아 그녀는 우리 집 초인종을 눌렀다. 퇴근하자마자 곧장 온 터였다. 현관문을 열어주자 그녀가 들어왔다. 이번에도 따뜻한 차를 대접하는 것을 잊지 않고 준비해 뒀다. 그녀는 코트와 목도리를 벗어 두고 식탁에 앉았다.

"저번에 잠은 푹 자셨죠?"

"네 덕분에 잘 잤습니다."

"중간에 깨거나 그러진 않으셨어요?"

"잠든 지 한 4시간 만에 깨긴 했어요. 그래도 수면제 없이 잠든 게 오랜만이어서 깼을 때 가뿐했어요."

아 블랙홀 자기최면만 가르치면 끝일 줄 알았는데 말이다.

"중간에 깨시는 거면 더 근본적인 치료가 필요해요. 오늘은 그럼 간단하게 상담 진행할게요."

"사람의 마음속에는 의식과 무의식이라는 게 존재해요. 마음은 빙산의 일각 같은 거라서요. 외부로 나타나 있는 의식은 아주 작은 부분일 뿐이에요.”

“상담을 통해서 알 수 있는 건 빙산의 윗부분일 뿐이지만, 앞으로의 치료에 기본이 되니까 솔직하게, 충실히 대답 해주셔야 해요”

“네. 노력해 볼게요.” 찬영은 잘 확신이 서지 않았지만 저번 밤 그랬던 것처럼 그냥 민하의 리드에 따르기로 했다.

“먼저, 어릴 때의 기억으로 가볼까요? 뭐가 가장 찬영 씨를 힘들게 했죠?”

찬영은 곰곰이 생각하다가 조심스럽게 입을 뗐다.

“콩쿠르를 앞두고 연습을 하는데 당시 저의 스승님이 돌아가셨다는 소식을 듣게 됐어요. 분명 그 전날까지도 스승님을 뵀는데 말이에요. 그래서 믿기지 않았어요. 곧 장례식이 열렸는데, 스승님이 전날 해주신 말이 갑자기 생각났어요. 단 하루도 피아노를 놓지 말아야 한다는 말이었어요.”

“그 말이 찬영 씨의 인생에 영향이 컸나요?

“컸죠. 마음을 추스를 새도 없이 콩쿠르 준비를 해야 했어요.

포기하고 싶었는데, 자꾸 저 말이 떠올라서 피아노를 쳐야 할 것만 같았어요. 저를 피아노의 길로 이끌어준 분이었거든요."

"힘드셨겠네요. 그럼 피아노는 찬영씨에게 어떤 존재인가요?" 민하는 찬영의 눈을 바라보며 말했다.

"모르겠어요. 뭐라 얘기하기가 참 어렵네요. 확실한 건 피아노를 엄청 좋아했어요. 악보를 보면서 음을 상상한 거랑 실제로 쳤을 때 느낌이 다른 거. 그게 참 재미있었어요. 그런데 피아노가 저를 몹시 힘들게 하기도 했어요. 카네기홀 공연을 앞두고 었어요. 카네기홀에서 공연하는게 평생에 제 꿈이었는데, 하나도 즐겁지 않았어요."

"그랬군요. 왜 즐겁지 않았죠?"

"두려웠어요. 어느 순간 제 실력이 정체되어 있다는 걸 저도 느꼈거든요. 그런 제 옆에는 더 이상 스승님도 없었고, 외국 생활을 오래 한지라 이 세상에 저 혼자 있는 듯한 느낌이었어요.

"친구나 애인은 따로 없었나요?

"친구… 있었죠. 그런데 친구라고 해봤자 다 피아노를 치는 애들이었어요. 그 애들에게 얘기해봤자 절 자랑하는 꼴밖에는 되지 않았어요. 카네기 홀에 서는 게 두렵다고 어떻게 말하겠어요."

"그럼 애인은요?"

찬영은 큼하고 짧게 기침했다.

"없어요. 있었던 적도 있었지만 저에게 연애는 항상 뒷전이었어요. 사실 사랑도 좀 두려워요. 저 하나 간수하지 못하는데 사랑을 운운한다는 게 웃기기도 하고요"

"그렇군요. 솔직하게 얘기해 주셔서 감사해요. 오늘은 여기까지 할게요. 다음에는 본격적인 치료를 진행할 거에요."

"네 알겠습니다. 또 뵐게요."

민하가 벗어 두었던 겉옷을 입고 목도리를 둘둘 맬 때까지 기다렸다가 대문까지 배웅했다. 그리고 마당에 서서 점점 멀어지는 민하를 바라보았다. 날이 너무 춥다. 나는 바로 들어가면 된다지만 그녀는 얼마나 더 추울까? 다음에는 핫팩이라도 챙겨줘야겠다.

거실에 있는 찻잔 두 개가 아까의 일을 떠오르게 했다. 손톱이 짧고 반듯하게 정돈된 그녀, 대답을 재촉하지 않고 잠자코 기다리던 그녀, 내 말에 과한 공감을 하지 않아도 진심을 다해

들어주는 게 보이는 그녀, 느긋한 목소리지만 단호한 말투의 그녀. 그리고 그런 그녀에게 내 마음들을 툴툴 털어버린 나까지. 아까의 장면들이 조각조각 떠올랐다.

세상은 말이 많다. 그리고 소음도 많다. 정말 깊은 곳에 있는 마음을 말할 곳은 몇 되지 않는다. 다들 자신의 말을 하느라 바쁘기 때문이다. 당신은 들어주는 사람인가? 마음에는 해결책이 필요 없다. 그러니 마음속의 이야기에 어떤 조언을 해줄 필요는 없다. 그냥 애정 어린 눈과 끄덕이는 고개로도 충분하다. 진심으로 대해주는 것이면 뭐든 충분하다.

찻잔을 정리하고 책상을 한 번 닦은 후, 찬영은 침대로 향했다. 그리고는 블랙홀을 떠올린다. 생각들을 다 잡아먹어 준다는 그 블랙홀. 그리고 영혼을 블랙홀 속에 집어넣으면 잠에 들 수 있다. 다만, 3~4시간 안에 깬다는 게 문제지만 말이다. 쪽잠이지만 자고 일어나면 피곤함은 사라진다. 그다음은 끝없는 외로움과 싸워야 한다. 밤이 길고도 길다. 이 밤을 혼자 버텨야 하는 건 참 외롭다.

*

아침이 밝았다. 시골이었다면 닭이 한참 목놓아 울며 아침을 알릴 시간이었다. 오늘은 그녀가 우리 집에 오는 날이다. 7시에 온다고 했으니 그 전에 장을 좀 봐야겠다. 저녁을 먹고 오지 않았다면 감사의 의미로 대접할 생각이다. 밤사이에 눈이 왔는지 보도블록들을 하얗게 덮었다. 눈이 쌓였다고 보기는 어려웠고, 면사포를 덮듯이 아주 부드럽고 여리하게 덮여있었다.

지나갈 때마다 발자국이 희미하게 남는 게 새삼 기분이 좋았다. 아무도 밟지 않은 눈을 맨 처음으로 밟는 게 은근히 재밌었다. 집 근처 마트까지는 그리 멀지 않았다. 손끝과 귀끝이 얼어붙었지만 호다닥 가면 그만이기에 걸음을 재촉했다.

찬영이 도착한 곳은 한 프랜차이즈 대형 마트. 1층에는 옷가게들이, 2층에는 과일과 채소가, 3층에는 생활용품과 약국, 세탁소까지 정말 없는 게 없었다. 생선코너를 들러 스테이크용 연어를 샀다. 빨간 속살과 약간의 껍질까지 가장 반듯하고 실해 보이는 것으로 골랐다. 과일코너도 들렀다. 딸기와 귤이 가판대에서 형형색색 자신의 색을 뽐내고 있었다. 후식용으로 딸기도 하나 고르고 레몬도 바구니에 담았다.

뮌헨에서 살던 때였다. 이때쯤의 뮌헨도 여기와 비슷한 날씨였다. 다만, 그 설명할 수 없는 으스스함이 나를 감싸는 게 소름 끼칠 때가 있었다. 피아노와 나밖에 없는 낯선 타지에서의 생활. 그 속에도 가끔의 따스함이 있다. 음악원에서 간간히 인사만 하던 바이올린을 켜던 독일인 여자애가 있었다.

뮌헨에 폭설이 와 공항도 마비됐던 때, 연습을 끝내고 저녁으로 먹을 바게트를 사서 가는 길에 그 여자애를 마주쳤다. 여자애는 내 바게트를 보고선 저녁 식사에 초대했다. 독일의 가정집에 가보는 것은 처음이었다. 김이 솔솔 나는 부엌에서 하나둘씩 나오는 음식들. 따뜻하고 부드럽게 녹아드는 맛의 연어 스테이크. 더 먹으라며 나를 챙기는 그 애의 가족들. 그 모든 게 뮌헨의 폭설 따위를 잊게 했다.

찬영은 집에 돌아가 요리를 시작했다. 어설프게 동영상을 보면서 따라 만드는 모습이 제법 웃겼다. 몇 번을 태워 먹은 끝에 정상적으로 보이는 연어 스테이크가 완성되었다. 그리고 곁들일 레몬 슬라이스까지 얹었다. 모양새는 괜찮아 찬영은 만족했다. 맛도 저번 토스트보다 나은 것 같다. 그리고, 그녀를 위한 차도 잊지 않았다.

이제 그녀가 오기를 기다리면 된다. 찬영의 온 신경은 초인종 소리에 가 있었지만 눈만은 책을 보았다.

"띵동"

그녀였다. 찬영은 인터폰에 비친 민하의 얼굴을 보고 바로 문을 열어주었다. 그녀의 옷은 이제 코트가 아니라 패딩이었고, 두 볼과 코가 발그스름했다. 이제 그녀와 나는 식탁에 마주 보고 앉았다.

그리고 그녀는 레몬차를 홀짝였다. 우두커니 서 있던 그랜드피아노가 그녀와 함께 눈에 들어왔다. 더 이상 그랜드 피아노가 외로워 보이지 않았다.

"오늘은 최면을 통해서 찬영 씨의 무의식 속 마음을 알아보고 치료해 볼 거에요. 편안한 마음으로 제 이야기에 따라와 주시면 됩니다."

"네. 그런데 혹시 저녁은 드셨나요?"

"아 간단하게 먹었어요. 신경 안 써주셔도 괜찮습니다."

최대한 예의 있는 답변이라고 민하는 생각했다.

"배부르신 게 아니라면 이것 좀 드세요." 찬영은 곧장 준비해 둔 접시를 식탁에 놓았다.

이 남자는 뭘까. 항상 하나를 생각하면 둘을 내어주는 사람이었다. 처음에는 유치하고 까칠한 줄 알았다. 그런데 그 뒤로부터는 꾸준히 다정했다. 나를 위해 준비한 연어 스테이크라고 생각하니 괜히 기분이 좋았다.

"감사해요. 잘 먹었습니다." 접시에 있는 연어 스테이크를 싹싹

비워냈다. 샌드위치를 먹고 온 터라 사실 반쯤 먹었을 때부터 배가 조금씩 부풀어 오르는 기분이었지만, 남길 수는 없었다.

"자 그럼 이제 진짜로 최면 치료를 시작해 볼게요."

찬영은 조금 익숙하게 눈을 감았다. 익숙했지만 여전히 떨렸다.

"먼저, 온몸과 마음을 편안하게 이완해 주세요. 숨을 천천히 들이마셨다가, 내쉬어주세요. 습~ 마셨다가 후~ 내쉽니다. 넓은 들판을 떠올려 보세요. 어디라도 좋습니다. 당신이 가본 곳도 좋고, 가보지 않은 곳도 좋습니다. 어디든 이 순간, 생각나고 떠오르는 지금 그 장소를 떠올리고 느껴봅니다. 온 사방이 탁 트인 들판입니다."

"자 이제 그 들판 위를 한가롭게 산책하듯이 걸어가는 당신의 모습을 떠올립니다. 그럼 주변의 상황을 살펴볼까요? 그곳에는 어떤 소리가 들립니까? 만약에 들리는 소리가 있다고 상상되거나 느껴진다면, 그 소리에 집중하여 들어보십시오. 새소리? 물소리? 어떤 소리입니까?

"바람에 풀에 스치는 소리가 들려요."

"좋습니다. 소리에 더 집중하며 들어봅시다. 숨을 들이마시면서

44

내쉬면서 온몸과 마음이 나른해지고, 편안하게 이완됩니다. 이제 들판에 서서 가던 길을 계속 가봅니다. 저 멀리에는 산과 계곡이 있습니다. 이제 계곡으로 가봅시다. 계곡 옆에는 큰 바위가 있습니다. 처음 보는 바위인데 궁금합니다. 바위에 가까이 가보십시오. 바위를 만져 보십시오. 바위의 촉감을 느껴보십시오. 어떤가요?"

"차갑고 까칠까칠해요."

"좋습니다. 바위에 살짝 힘을 주니 바위가 움직이는군요. 바위를 살짝 밀어봅니다. 삐그덕 소리를 내며 바위가 움직여 나갑니다. 그런데 바위가 움직이는 자리에 캄캄한 동굴의 모습이 보입니다. 당신은 이제 동굴 입구에 서 있습니다. 이 곳은 마음으로 들어가는 굴입니다. 자 이제 당신의 마음속 깊은 곳으로 가봅니다. 언제인가요?"

"어릴 때예요. 한 12살쯤인 것 같아요."

"무엇을 하고 있죠?"

"아무것도 못 하고 있어요. 화가 난 아버지는 여동생과 어머니에게 물건을 던지고 욕설을 퍼부어요. 그런데 저는 아무것도 못하고 있어요. 아버지를 말리면 혹시나 맞을 수도 있다는 생각에 방에서 나오지 못하고 있어요"

"아버지의 폭력과 욕설이 자주 있는 일이었나요?"

"매일은 아니었어요. 하지만 아버지의 심기를 거스르는 날은 예외 없이 그런 일이 있었어요."

"그때 찬영씨의 어머니의 행동은 어땠나요?"

"엄마가 말했어요. 매일 그런 것도 아니잖니. 어떡하겠어, 참고 살아야지. 이 말을 들을 때마다.. 하.. 엄마가 미웠어요. 엄마를 미워하면 안 되는 걸 알았지만 그래도 미웠어요. 나랑 동생은 무슨 죄예요..." 찬영의 눈에서 눈물 한 방울이 볼을 타고 흐른다.

"그럼 동생에 대해서는 어떻게 생각하시나요?"

찬영의 뺨을 타고 흐르던 눈물이 마를 새 없이 계속해서 흐른다.

"미안해요…. 동생을 흐윽 그 집에 두고 왔어요… 유학 간다는 핑계로 말이에요… 아버지가 동생을 어떻게 할지 뻔히 다 아는데, 저만 그 집을 떠났어요…"

"찬영 씨는 폭력적이고 억압적인 아버지 밑에서 자랐어요. 작고 어린아이가 큰 어른에게 반항할 수는 없었을 거에요. 그리고 많이 무서웠을 거에요. 어른의 책임을 다하지 못하고, 부모의 책임을 다하지 않는 아버지를 원망할 수밖에 없었죠. 그럼 남은 어른은 어머니이지만 어머니는 힘이 없네요. 자식을 위해서라도 참고 사는 게 최선이라고 생각했을거에요. 그리고 그런 어머니를 찬영씨는 이해하기 힘들었죠."

"맞아요.."

"그런 찬영씨에게 음악은 도피처였을거에요. 괴로움을 표현하고 억압에서 벗어나 자유롭게 표현할 수 있었던 게 피아노 였을거에요. 그런데, 동생은 아버지의 곁에서 통제와 억압에 시달릴텐데 찬영씨만 벗어난 것 같아 상당히 괴로웠을거에요. 피아노를 치는 게 좋으면서도 죄책감이 느껴졌을거에요. 그래서 항상 피아노에 대한 양가감정이 들었을거에요.

"맞는 것 같아요… 피아노가 너무 좋았는데 동시에 저를 힘들 게 한다는 생각이 자꾸만 들었어요…"

"네. 스승님까지 돌아가셨을 때 정말 피아노를 잘쳐야한다는 강박과 동생을 두고 왔다는 죄책감이 배가 되었을 것 같아요. 특히, 잘해야하는데 잘하지 못했을 때 그걸 견디는 게 정말 힘드셨을거에요. 하지만, 알아야하는 게 있어요. 먼저, 찬영씨.

아버지를 미워해도 괜찮습니다. 그런 상황에서 찬영씨를 지켜주지 못했던 어머니를 원망하셔도 괜찮습니다."

찬영은 부르르 떠는 목소리로 간신히 대답했다.

"흑.. 네"

"동생은 찬영씨를 원망하지 않을거에요. 자랑스러운 오빠라고 생각할 거에요. 찬영씨 잘못은 하나도 없어요. 찬영씨의 도피처인 피아노을 억압하고 통제할 필요는 없어요. 자유롭게 표현하고 울부짖어도 괜찮습니다. 동생도 그걸 응원해줄거에요. 오빠, 콩쿠르에서 우승도하고 세계적인 피아니스트가 된 거 너무 자랑스러워."

"흐흐으극" 찬영은 대답도 못하고 울기만했다. 너무 울어서 얼굴이 다 엉망이 되었고 눈물위에 눈물이 쌓여 눅진해졌다."

"잠을 못자는 이유도 여기에 있어요. 찬영씨의 무의식 속에 있는 죄책감, 잘해내야 한다는 강박이 몰아쳤을 거에요. 그럴 때 모든 강박과 죄책감에서 벗어나서 자유롭게 피아노를 연주하는 모습을 상상하세요. 동생과 스승님이 당신을 응원하고 있을 겁니다."

"자 이제 마음 저 깊은 동굴 속 끝으로 빛이 보이네요. 한 발짝씩

한 발짝씩 나아가 동굴 밖으로 나갑니다. 천천히 나가도 괜찮습니다."

"이제 깨어납니다." 민하가 중지와 엄지손가락을 튕겨냈다.

그 순간, 찬영은 눈을 떴다. 짧은 시간안에 너무 많은 게 지나간지라 멍한 기분이 들었다.

"괜찮으세요?" 민하가 휴지를 건넸다

찬영은 휴지로 얼굴을 닦는 데에도 계속 정신이 빠져있는 느낌이 들었다. 민하는 찬영의 얼빠진 얼굴을 보고서 얼음물을 떠다 와 건넸다. 얼음이 동동 떠있는 물을 한잔 마신 후에야 찬영은 조금 진정된 기분이 들었다.

"찬영씨, 괜찮으세요?"

"네.. 이제 괜찮습니다. 시간이 벌써 11시가 다 됐네요. 선생님 얼른 가보셔야겠어요." 찬영은 협탁에 놓여있는 자그마한 시계를 보고 말했다.

"찬영씨 잠드는 것까지는 도와드리고 갈게요. 얼른 다시 누우세요."

"저 진짜 괜찮아요..!!"

"빨리 누우세요." 찬영은 민하의 단호한 말에 어쩌지 못하고 꼼짝없이 누웠다.

"찬영 씨는 연주회장으로 가는 거예요. 아주 천천히. 몸에 힘을 풀고 천천히. 찬영씨는 가장 가운데에 빛나는 조명을 받으며 연주하고 있네요. 그런데 혼자가 아닙니다. 어머니와 동생 그리고 스승님이 객석에 앉아 찬영 씨를 올려다보고 있네요."

찬영의 호흡은 점점 안정적으로 변했고 색색하며 일정한 숨이 오갔다. 눈을 감고 있는 찬영의 표정도 한결 편안해졌다.

"무슨 이야기를 하고 있는데 자세히 들어봅시다.

내 아들아 자랑스럽다.

오빠 너무 자랑스러워.

제자 찬영아 자랑스럽다.

관객들과 동료들도 찬영 씨의 연주에 감탄하네요."

찬영의 호흡이 코의 아주 깊숙한 곳까지 넘어갔다가 다시 내뱉어졌다.

"이제 당신의 영혼이 블랙홀을 마주합니다. 감정과 기억들은 모두 블랙홀 속으로 들어가고 당신은 이제 편안한 잠에 듭니다. 아주 편안하고 고요한 밤이 됩니다."

귀엽네. 강아지같이 내려간 눈꼬리가 속눈썹에 덮였다. 걱정과 근심이 사라진 순수한 찬영의 얼굴이 민하에 눈에 들어왔다. 민하는 더 본격적으로 그의 자는 얼굴을 들여다보았다. 눈에 닿을 듯한 머리가 걷혀 찬영의 눈이 그대로 드러났다. 그의 순하고 담백한 눈에서 내려오니 동글하지만 반듯한 코가 보였다. 그리고 입술.. 얇지도 두껍지도 않은 입꼬리가 매력적인 입술이었다.

그리고 거기에 하얗고 가는 손가락까지.. 찬영의 외모를 싫어하는 사람은 아무도 없을 것이다. 이런 남자가 현실에 있다는 게 믿기 힘들 정도이니 말이다. 찬영의 침대에선 항상 은은하고 달큰한 향이 났다. 이 은은하고 달큰한 향 때문에 침실에 들어오면 나른해졌다.

흐아아암

민하는 뒤척이며 눈을 떴다. 침대에서 눈을 뜨고는 익숙하게 시리에게 몇 시인지 물어보았다. 지금 시각은 10시 12분입니다. 아늘잠이다. 그래도 주말이니 문제없지라고 생각하고 몸을 일으켰다. 뭐야??? 은은하고 달큰한 향, 암막 커튼, 검은색 협탁과 하얀 조명 그리고 넓고 푹신한 침대. 이 모든 것이 여기가 찬영의 집이라고 말해주는 듯했다.

나 설마 잠든 거야???. 자는 모습을 잠깐 보고 간다는 게 설마 잠들어버릴 줄이야.. 내 스스로가 어이가 없었다.

"일어났어요?" 그가 침실의 방문을 조심스럽게 열어젖히며 말했다.

민하는 순간적으로 이불을 휙 하고 머리끝까지 덮었다. 무너진 화장, 부은 얼굴, 헝클어진 머리. 이런 모습을 보여주는 것이 조금 쪽팔리고 부끄러웠다.

침실에 들어온 찬영이 다시 한번 물었다.

"민하 씨, 일어났어요?"

"일어났어요. 근데 지금 너무 초췌해서 준비할 시간을 좀 주시면 안 될까요?"

"엇 네네. 화장실 서랍에 수건 있으니까 쓰시고 혹시 필요한 거 있으면 다 쓰셔도 돼요."

침실에서 나가자 화장실에서 물소리가 들렸다. 찬영은 오늘 아침의 일을 떠올렸다. 몸을 일으키려는데 무언가 걸리는 느낌이 들었다. 동그란 뒤통수가 보였다. 침대에 엎드려 자고 있는 민하 씨였다. 많이 피곤했나 보다. 하긴, 일을 하고 와서 또 치료해야 하니 피곤한 게 당연했다. 침대에 있는 민하가 깨지 않게 조심스럽게 일어나 민하를 침대에 눕혔다. 춥지 않도록 이불도 끝까지 덮어주었다.

새근새근 자는 무방비 상태의 그녀. 가늘고 긴 속눈썹이 완전히 덮여 있었다. 도톰한 입술에 찬영의 시선이 자꾸 갔다. 1,2,3. 멍하니 바라보면 시간이 금방 갔다. 창문 밖으로는 눈이 소복하게 쌓이고 있었다.

급하게 단장을 마친 민하가 거실로 나왔다. 부은 얼굴과 머리카락 하나가 삐죽 튀어나온 채 말이다.

"실례했습니다.   죄송합니다. 저 먼저 가보겠습니다." 민하는 급하게 거실에 있는 집을 챙겨 현관으로 향했다.

"잠시만요!! 가져가세요. 밖에 눈와요" 민하의 손에 핫팩을 꼬옥 쥐여주었다. 민하는 얼떨결에 핫팩을 받아 들고 집으로 향했다.

*

며칠째 핫팩의 열기가 식지를 않는다. 이상한 핫팩이다. 열기가 식지도 않은 핫팩을 버릴 수 없어서 식탁에 두었다. 쨍한 초록빛에 흰색 줄무늬가 있는 핫팩. 딱딱하게 굳을 때도 되었는데 굳지 않는 핫팩. 그리고 그걸 건네준 찬영. 핫팩을 멍하니 바라보며 아마 찬영의 손도 따뜻할거라 생각했다.

온도가 높은 사람이다. 다정한 사람이다. 의미 없는 다정함은 범죄다. 나를 이렇게 혼란스럽게 하니까 말이다. 심장이 미세하게 쿵쿵대는 것이 느껴졌다. 그가 가여웠다. 너무 착해서 모든 걸 떠안는 그. 그러면서도 남을 먼저 생각하는 그. 안아주고 싶다고 생각했다. 머릿속에서 그가 떠나지 않는다. 무슨 음식을 좋아할까? MBTI는 뭘까? 강아지와 고양이 중 뭘 더 좋아할까? 공포영화를 잘 볼까?

이런 건 검색해 봐도 잘 나오지 않았다. 상상으로 채울 수밖에 없었다. MBTI는 INFJ일 것 같다. 다정하니까. 강아지를 더 좋아할 것 같다. 강아지를 닮았으니까. 공포영화는 잘 모르겠다. 그냥 침착할지도. 아니 엄청나게 무서워할지도. 심장은 더 세차게 뛰었다.

연주회 갈래요? 바이올린 독주회에요.

피아노를 대외적으로 좋아하는 엄마가 또 피아노 티켓을 보냈다. 구하기 힘든 표라면서 꼭 가란다. 하… 딸 노릇을 하는 것도 힘드네. 엄마는 자기가 못 가는 공연에는 꼭 나를 보냈다. 가서 할 일은 다른 출판사 대표들한테 인사하고 얘기 몇 마디 하는 일. 그게 엄마가 대외적으로 피아노를 좋아하는 방법이었다.

아나운서였다가 출판사 대표된 엄마는 각종 고고한 척을 했다. 그게 다른 출판사 대표에게 무시당하지 않는 일이라나 뭐라나. 그래서 그때부터 클래식을 좋아하는 가족이라는 이미지 메이킹을 시작한 거다. 정작 집에서는 트로트를 불러 대면서 말이다.

그래서 결국 이번에도 꼼짝 없이 그 지루한 연주회에 가게 생긴 거다. 바이올린 독주회. 갑자기 찬영이 떠올랐다. 그에게 같이 가자고 하면 어떨까? 그와 가고 싶다는 생각이 들자 손가락이 제멋대로 움직이더니 정신을 차리고 보니 전송 버튼까지 누른 후였다.

언제인데요?

다음 주 토요일이요.

그럼 갈게요.

공연 시간이랑 장소 보내주세요.

그때 뵙겠습니다.

갑자기 연주회에 가자는 말에 찬영은 놀랐다. 생각해 보니 공연을 보러 가는 건 오랜만이었다. 그리고 사실 그녀의 부탁이니 거절할 수 없었다. 그런데 하필.. 김주찬 연주회였다니. 예술의 전당 음악 영재 아카데미에서 만난 김주찬과는 아주 어릴 때부터 알던 사이이다. 몇 번 공연에 오라고 초대도 했었는데 그때마다 항상 바빴던지라 못 갔었다. 그런데, 여자와 함께 온 걸 보면 놀려 댈 것이 뻔했다. 그래도 이미 가겠다고 했는데 무를 수는 없지 않은가…

김주찬의 연주회 당일. 찬영은 검은색 목 폴라티와 와이드 한 슬랙스에 각이 살이 있는 코트를 입었다. 혹시나 알아볼까 싶어 마스크도 썼다.

찬영 씨 도착하셨어요?

네. 예술의 전당 콘서트홀입니다.

아 그러면 티켓 배부하는 곳 앞에서 봬요.

네 알겠습니다.

저 멀리로 민하가 보였다. 딱 달라붙는 흰색 원피스에 깔끔한 검정 코트를 입었다. 검은색 플랫슈즈와 로즈골드 빛 목걸이가 조화롭게 어울렸다.

"여기요." 찬영이 손을 흔들었다. 얼굴은 고양이같이 차갑게 생겨서는 쪼르르 달려오는 모습이 귀여웠다.

공연장에 나란히 앉으니 어색한 분위기가 흘렀다. 공연까지 남은 시간은 10분. 물을 잘못 마셨는지 콜록거리는 민하를 보고 찬영이 먼저 말을 꺼냈다.

"그거 아세요? 연주할 때 크게 치는 부분에 맞춰서 기침하면 연주자는 기침 소리가 들릴까요? 안 들릴까요?"

"흠.. 안 들리지 않을까요? 아무래도 연주 소리가 엄청 크니까요!"

"정답은요. 크게 치는 부분에 맞춰 기침하면 더 크게 들려요. ㅎㅎ"

"아 진짜요?? 신기하다."

대화들을 나누다 보니 객석의 조명이 꺼지고, 연주가 시작되었다.

민하는 최대한 공연에 집중하려 노력했다. 잠이 오려고 하면 찬영의 시선을 신경 쓰며 다시 눈을 똥그랗게 떴다. 그런 모습을 바로 옆에서 본 찬영은 미소를 지을수 밖에 없었다. 그리고 심장이 미세하게 콩닥대는 것을 느꼈다.

"공연 어땠어요?" 공연이 끝나자마자 민하는 찬영에게 물어봤다.

"좋았어요. 그때나 지금이나 여전히 잘하더라고요. 시간이 지날수록 뒤처지기는커녕 항상 앞서나가는 게 참 신기해요."

"아 아는 사이세요?"

"네. 영재 아카데미 동기에요. 김주찬이랑 나."

세상도 좁은데, 클래식계는 또 얼마나 좁겠는가. 공연이 끝난 직후의 화장실은 사람들로 붐볐다. 화장실 안으로 늘어선 줄을 서야만 했다. 생각보다 꽤 시간이 걸릴 것 같아 기다리고 있을 찬영에게 조금 미안한 마음이 들 때였다. 내 바로 앞에선 여자 두 명의 입에서 익숙한 이름이 들렸다.

"주찬이 오늘 공연 잘하더라. 더 늘었던데?"

"그니까ㅋㅋㅋㅋㅋㅋ. 근데 걔는 예전부터 잘했잖아."

"그치. 야 근데 오늘 정찬영 온 거 봤냐?"

"어. 어떤 여자랑 같이 왔던데??"

"혹시 애인인가?? 우리 모임에는 한번을 안 나오더니"

"설마ㅋㅋㅋㅋ. 아닐걸. 걔 다 잘해주고 안사귀는 걸로 유명하잖아."

화장실을 갔다 온 민하는 기분이 찜찜해졌다. 듣고 싶어서 들은 얘기도 아닌데, 기분이 안 좋았다. 찬영과는 공연이 끝나고 헤어졌다. 물론 차를 끌고 온 찬영이 집 앞까지 데려다주었지만 말이다.

주말이 벌써 지나갔다. 9시 출근, 6시 퇴근. 아주 평범하게 돌아가는 하루이다. 오늘도 정말 최선을 다했다. 그런데 최선을 다하고 집으로 가는 길이 미칠 듯이 공허하다. 어떤 노래를 들어봐도 이 공허함 채워지지 않는다. 요새 재밌던 유튜브 영상을 봐도 이 공허함이 채워지지 않는다.

12월 초만 되어도 거리가 분주하게 크리스마스의 옷을 입는다. 연인들은 커플 목도리를 매고, 서로를 애정의 눈으로 바라본다. 그리고 사랑을 속삭인다. 바로 뒤에 있는 나는 그들만의 세상에 부유물 정도일까? 갑자기 핫팩이 툭하고 떨어진다. 앞선 커플의

주머니에서 떨어진 초록색 핫팩. 나는 그걸 주워주려 손을 뻗는데 또 그가 생각난다. 그 핫팩을 남자에게 건네준다.

그놈의 핫팩. 이제 알겠다. 나는 그를 좋아한다. 나는 그와 저 커플처럼 애정 어린 눈으로 보면서 사랑을 하고 싶은 거다. 그의 다정에 절여졌다. 그는 모두에게 다정하겠지만 말이다. 그래도 이미 절여져서 쉽게 나오지도 못한다. 정말 다정이라는 놈은 범죄다. 사람을 이렇게 흔들어 놓으니 말이다.

깊은 겨울의 끝

어릴 적 기억이 꿈에 나왔다. 나는 5학년 3반이었고 동생은 2학년 1반이었다. 학교가 끝나면 동생과 함께 집으로 가야했다. 딱히 동생이랑 같이 가고 싶었던 건 아니지만, 엄마의 요청이었기에 그러려니 했다. 수업이 끝나고 동생의 반으로 내려갔다. 평소 동생에게 틱틱대던 유독 장난기 많은 친구가 또 동생에게 또 장난을 치는가 보다. 저 멀리 신발장 앞에서 동생과 장난기로 가득한 남자애가 보였다.

조금 가까이 다가서니 말소리가 들렸다. 남자애와 동생이 나를 등지고 있는 바람에 몰래 엿듣는 것처럼 되어버렸지만 말이다.

"너네 형 우리 학교 다닌다며?? 몇살이냐??"

"형이 아니라 오빠거든! 우리 오빠 12살이다. 나한테 까불면 오빠한테 다 이를거야."

"너 닮아서 너네 형도 쪼만하겠지ㅋㅋㅋ!" 그 남자애의 표정은 안보이지만 엄청 얄미운 표정을 하고 있을거다.

"아니야! 우리 오빠 키 짱커 그리고 피아노도 잘 쳐서 맨날 상 타오거든???"

"남자가 뭔 피아노냐ㅋㅋㅋㅋ 태권도겠지"

"뭐래. 우리 오빠 피아노 치는 거 짱 멋지거든?? 너는 무식해서 그런 거야!"

동생이 내가 피아노 치는 걸 자랑하듯 말한다. 기세등등하게 나를 자랑한다. 심장 한쪽 구석이 이상한 느낌이 들었다.

"정민영!! 집에 가자!!" 이제 동생과 집에 갈 시간이었다.

요새 제일 신기한 것이 있다면 일어나면 해가 떠있다는 것이었다. 전에는 수면제를 먹어도 캄캄한 하늘을 보고는 한숨을 쉬며 억지로 침대에 다시 누웠는데 말이다. 그날 이후로 하루가 다르게 불면증이 나아졌다. 피곤함에 멍하니 있는 시간도 확실히 줄었고, 정말 오랜만에 아침이 개운하다는 느낌도 들었다.

식탁에 앉아 얼그레이 차가 우려지기를 기다렸다. 유리컵에 담겨진 물에 진한 색의 아지랑이가 일렁였다. 그녀는 내 구원자같은 것이 아닐까. 그녀에게 도움을 너무 많이 받았다. 이걸 거래라고 해도 되는 걸까. 얼마나 피곤했으면 잠들었을까 싶었다. 그래서 이제 그녀가 원하는 것을 알려 줘야할 때가 왔다.

메세지함 상단에 '김민하'라는 이름 세 글자가 바로 보였다.

메세지창을 한참동안이나 바라보며 글자를 썼다가 지웠다를 반복했다. 끝이 있는 거래라는 건 진즉 알고있었다. 하지만, 그게 꼭 지금이어야할까라는 생각이 들었다. 지금 앉아있는 식탁에서 보이던 민하와 그랜드 피아노가 떠올랐다. 처음으로 외로워 보이지 않았던 거실의 그랜드 피아노. 그건 내 욕심이겠지. 이기적인 거다.

선생님 안녕하세요?

덕분에 요새 잠을 잘 잡니다.

그간의 감사함 잊지 않겠습니다.

저번에 원하셨던 곡,

라흐마니노프의 피아노 협주곡 3번입니다.

부디 잘 지내시길 바랍니다.

지잉 지잉. 연속으로 두 번, 짧은 진동음이 들렸다. 지하철로 출근을 하고 있던 민하는 이 시간에 연락이 올 곳이 없는데? 택배인가? 생각하며 핸드폰을 들었다. 잘 지내시길 바랍니다….??? 기가 찼다. 순식간에 눈물이 고였다. 떨러질락 말랑 그렁그렁했다. 멋대로 다정 해놓고 멋대로 끝내자는 말에 짜증이 났다.

툭. 어설프게 고여 있던 눈물이 떨어졌다. 핸드폰 문자 화면에 뜨거운 방울이 졌다. 어? 나 지금 우는 건가. 멈추려고 해봐도 멈춰지지를 않았다. 한번 떨어진 눈물은 계속해서 떨어졌고 핸드폰 화면에 자그마한 호수가 생겨버렸다. 어어? 내가 왜 이러지. 화면이 미끈해져 잘 터치가 되지 않자 옷소매로 화면을 슥슥 닦아버렸는데 어느새 또, 이번에는 더 큰 호수가 생겨버렸다.

사람들이 쳐다보는 시선이 느껴지자 억지로 눈물을 삼켰다. 민하의 눈은 벌겋게 됐다. 이번 역은 서초. 서초역입니다. 내리실 문은 왼쪽입니다. 아 내려야지. 지나칠 뻔했는데 간신히 내렸다. 혼자 시작한 사랑은 혼자 끝내야 한다. 혼자 설렜던 마음도 혼자 정리해야 한다. 실컷 울고 나서야 민하는 몇 번이고 다짐했다.

그날 밤, 초록색 핫팩을 쓰레기통으로 던졌다. 기분도 꿀꿀한데 목욕이나 해야지. 여느 때처럼 욕조에 따뜻한 물을 받아 놓고 입욕제를 골랐다. 선반 두 칸에 빼곡하게 놓인 입욕제의 향을 하나씩 맡아보다 순간적으로 찬영의 침대에서 나던 달큰하고 은은한 향이 생각났다. 애써 그 생각을 지워버리고 자스민과 장미향이 나는 보랏빛 입욕제를 욕조에 넣었다.

촤아악하며 입욕제가 퍼지는 소리에 혼란스러운 마음을 조금이나 잠재웠다. 목욕을 마친 후 침대에 누워 찬영이 알려준 노래 제목을 검색했다. 40분가량되는 연주였다. 찬영이 연주한 영상도 있었다.

그건 차마 못 보겠어 다른 유명 연주자의 영상을 틀었다.

40분을 아무것도 하지 않고 노래에만 집중했다. 분명 멜로디는 그때 들었던 그 노래가 맞았다. 그런데 이런 느낌이 전혀 아니었다. 더 애절하고 더 처절하고 더 아팠다. 심장을 지그시 누르는 느낌이었다. 처음에는 가벼운 압력으로 눌렀다가 마지막에는 조일 듯이 무거운 돌이 내 심장에 얹혀 있었다. 찌르는 아픔도 아니고 파고드는 아픔도 아니었다. 어디에서도 느끼지 못한 그 서늘하고 어마어마한 아픔 때문에 그 노래를 꼭 알고 싶었던 것이었다.

짜증 나는 마음에 결국엔 찬영의 연주까지 들었다. 그런데 이것도 아니었다. 이건 그 노래라고 하지 못한다. 멜로디만 같은 다른 노래다. 좀 괘씸한 마음이 들었다. 정확히 말하면 사기당한 느낌이었다. 이 노래 하나 알자고 내 딴에는 가진 모든 걸 다 내주었는데 말이다. 별주부에게 속아서 간이며 쓸개며 심지어 심장까지 용왕에게 다 내준 꼴이었다. 미안하지만 이렇게 된 이상 그때 그 연주 꼭 들어야겠다.

제가 들었던 곡, 그 노래 아니에요.

너무 느낌이 다르잖아요.

책임지세요.

그러니까 이거라도 책임지라 이거다.

찬영의 한쪽 눈썹이 올라갔다. 책임지세요? 대체 어떻게 책임을 지라는 걸까? 너무 느낌이 다르잖아요?는 또 뭘까. 아 그때 연주랑 다르다는 건가? 다른 사람 연주를 봤나 보다.

제 연주 영상도 있을 겁니다.

한번 찾아보시면 좋을 것 같습니다.

이미 봤다고!! 이미 봤는데 아니라고!!

이미 봤어요.

이 느낌도 아니에요.

도대체 그 느낌이라는 건 뭘까?

결국 민하를 우리 집으로 불렀다. 그랜드 피아노에 앉고 그때를 떠올려보았다. 분명 그날은 안식년 전 공연을 끝내고 온 날이었다. 새벽에 잠이 깨 자연스럽게 피아노 학원으로 향했다. 그리고 또 무슨 생각을 했더라…? 눈동자를 껌뻑거리다가 악보에 눈이 갔다. Piano Concerto No. 3 by S. Rachmaninoff.

맞다. 라흐마니노프를 생각하고 있었어. 민하가 자신을 뚫어져라 쳐다보고 있는 것이 느껴졌다. 찬영은 건반에 조심스럽게 손을 대고 연주를 시작했다. 라흐마니노프와 나. 몰락한 천재가 될까 봐 두려운 그와 나. 아버지를 원망하는 그와 나. 가여운 그와 나. 음 몇 개가 나가고 템포도 멋대로 빨라졌다가 멋대로 느려졌다.

민하는 드디어 느낄 수 있었다. 내 숨통을 조여오는 느낌. 숨을 크게 내쉬어야만 살아있다는 걸 느낄 수 있게 하는 이 기분. 이젠 정말 실낱같은 숨을 겨우 부여잡아야 할 정도로 조여졌다. 점점 클라이맥스로 향해가는 음악, 얼마나 나를 더 아프게 할지 가늠이 가지 않는다. 어? 이건 뭐지. 분명 아끼는 사람 숨을 끊어 놓을 것처럼 가다가 갑자기 나를 천국으로 몰아넣었다. 이 황홀경은 뭐지.. 마음이 붕붕 뜨는 게 평화로운 숲에 그와 나 둘만 있는 듯했다.

찬영은 그 어느 때보다도 연주에 몰입했다. 연주보다 자꾸 감정이 앞서서 그걸 쫓아가느라 손이 빠르게 움직였다. 조금씩 어긋나는 연주에도 감정선이 이어진다. 아니 오히려 감정이 증폭된다.

"이 곡 맞네요. 아니 제가 찾던 건 이 연주였네요. 그쪽 연주가 좋아요. 저를 자꾸 아프게 하는데도 계속 생각나요. 그리고 찬영 씨도 저를 자꾸 아프게 하는데도 계속 생각이 나요."

"좋아해요." 이렇게 절절하게 사랑고백을 하고 싶진 않았는데 말이다. 다 그 연주 탓이다. 모든 말들이 충동적이었다.

"미안해요. 못 들은 걸로 할게요." 돌아오는 그의 대답이 나를 한없이 비참하게 만들었다. 눈에 보이는 겉옷가지들만 챙겨 도망치듯 그 집을 나왔다. 찬영은 그 뒷모습을 바라만 보았다. 그녀와 함께 있으면 좋았다. 솔직히 설레었던 적도 있었다. 그럴 때마다 이 마음이 더 커지기 전에 접어야 한다고 생각했다.

좋은 사람이다. 구멍 난 곳까지도 안아줄 수 있는 사람이다. 그렇기에 나는 더 자신이 없었다. 나는 그녀에게 무엇을 줄 수 있는가? 나는 불완전하다. 이런 불완전한 나를 그녀가 품어주는 것밖에 되지 않는다. 내가 해줄 수 있는 것 따위는 없다. 그녀가 나에게 질려 떠나가기로도 한다면 더 이상은 견디지 못할 것이다. 나는 갈기갈기 찢겨버릴 거다. 나는 그게 두렵다. 그래서 잠깐 설렜던 마음이든 뭐든 다 정리하는 게 맞다.

*

그 후로 민하를 보지 못했다. 애초에 연락을 자주 하던 사이도 아니었으니 나와 그녀의 연결고리는 이제 하나도 없는 셈이다. 다만, 민하의 목도리만은 내 손에 있었다. 그날, 급하게 나가던 그녀는 목도리를 두고 갔다. 그 회색 목도리는 찬영의 옷장

어딘가에 들어갔다.

안식년을 시작한 뒤로 나는 많이 달라졌다. 인생의 초점이 피아노에만 잡혀 있어 다른 것들은 아웃포커싱 되었다. 이제는 너무도 흐릿했던 다른 것들을 선명하게 하는 중이다. 오랜만에 동생을 만났다. 동생이 예약한 레스토랑은 어두운 실내에 은은한 조명이 더해져 따뜻하면서도 감각적인 분위기를 만들어냈다.

3년 전을 마지막으로 오랜만에 본 동생은 더 성숙해져 있었다. 하긴, 그때는 20대 초반이었니 말이다. 음식이 주문하고 나올 때까지 한마디도 하지 않고 서로를 바라보기만 했다. 바질페스토와 마스카포네 치즈가 듬뿍 들어간 피자와 시금치와 새우가 들어간 카넬로니가 식탁을 가득 메우자 동생이 먼저 얘기를 꺼냈다.

"오빠 잘 지냈어?"

"응 잘 지냈지. 너는 회사는 좀 어때?" 피자를 동생에게 덜어주며 답했다.

"회사 잘 다니고 있어. 나도 이제 돈 벌어. 그래서 오빠 밥 사주고 싶더라. 한국 올 때마다 맨날 오빠가 밥 사줬잖아"

식사가 얼추 끝나갈 때쯤 조심스럽게 입을 뗐다.

"있잖아. 해외 생활을 하게 되면서 너한테 많이 미안했어. 너를 그 집에 혼자 두고 와서 미안해"

"그거 알아? 나는 오빠가 나한테 미안해하고 있다는 거 알고 있었어. 솔직히 처음에는 좀 오빠가 밉기도 했는데 이제는 아니야. 근데 오빠가 왜 미안해해. 미안해하고 사과해야 할 사람은 따로 있지. 오빠가 나한테 미안해한다는 걸 느낄 때마다 나도 얼마나 불편했는지 모르지?"

몰랐다. 정말 몰랐다.

"근데 오빠, 나 이제 그때의 내가 아니야. 나도 그 집에서 내 힘으로 나왔잖아. 나 그렇게 나약하지 않아."

조그마하던 민영이 갑자기 커 보였다. 여려 보이지만 속은 단단함으로 가득 찬 아이라는 걸 오늘에서야 알게 됐다.

"그러네. 이제 보니까 너가 나보다 강한 것 같아."

"그러니까 오빠도 혼자 죄책감 가지고 미안해하는 거 그만하자"

동생을 차에 태운 후 동생의 자취방 앞에서 내려주었다. 동생이 내리고 난 후 혼자 남은 찬영은 생각에 잠겼다. 어린애가 어른이 될 때까지 난 무엇을 했는가? 아무것도 달라지지 않은 건 자신뿐이라는 생각이 들었다. 나도 변해야 한다. 곧 스승님의 기일이다. 이번 기일에는 납골당을 찾아 인사드려야겠다고 다짐했다.

차를 운전해 방배동의 어느 절에 위치한 납골당에 도착했다. 칸칸이 유골함들이 정렬되어 있었다. 초코바가 잔뜩 쌓여 있는 어느 칸을 보며 저분은 초코바를 그리 좋아하셨구나 짐작할 수 있었다. 스승님의 유골함에 있는 칸에 다다랐다. 성동구 행당동의 병원에서 여기까지 먼 길 오셨네.. 유골함에 故 김영수라고 적힌 것을 보니 심장이 먹먹했다.

그리고 아래에는 사진들이 있었다. 대부분 가족과 함께한 사진이었는데, 그중 하나는 나와 함께한 사진이었다. 어느 재단의 콩쿠르에서 찍은 사진이었다. 나와 스승님이 나란히 웃고 있는 사진. 눈가가 촉촉해지는 것이 느껴지자 일부러 눈을 크게 뜨며 울지 않기 위해 애썼다. 스승님. 너무 늦게 와서 죄송합니다.

한참을 서있다가 이제 가려고하는 찰나였다. 뒤에 오고 있는 한 남자와 눈이 마주쳤다. 갓 학생티를 벗은 느낌의 남자였다.

"혹시 정찬영씨세요? 제 아버지 보러오신거에요?"

어.. 스승님 아들이신가 보다. 스승님께 아들이 있었다는 건 알고 있었지만 실제로 보는 것은 처음이었다. 방금 본 가족사진에서조차 초등학생쯤 되어 보이는 아이였으니 못 알아볼 만도 했다.

"아 스승님 아들 분이셨구나. 이렇게 뵙네요. 전 이만 가볼 테니 스승님이랑 인사 나누세요."

"잠시만요..!! 아버지가 혹시 찾아오면 전해달라는 말이 있었어요. 이거 읽어보세요." 아이가 작은 쪽지를 건넸다.

"저 매년 기다렸어요. 자그마치 10년을 형이 오기를 기다렸어요."

벌써 10년이나 되었나. 10년 동안 스승님을 잊은 적은 단 한 번도 없었다. 하지만, 10년이나 지났음에도 스승님의 죽음을 받아들이고 싶지 않았다. 장례식장에서 어떤 구렁텅이에 처박혀서 끝도 없이 떨어질 것만 같은 기분이었다. 다시는 그 기분을 느끼고 싶지 않다. 그런데, 이런 쪽지가 있을 줄은 상상도 못 했다.

찬영은 차로 돌아가 쪽지를 펼쳤다.

찬영아
니가 아프지 않고 건강하게 살기를 바란다.
내가 가더라도 너무 아프지 않기를 바란다.

만남이라는 건 시작도 있고 끝도 있는 게 당연한 거잖니.

끝이 조금 아프대도, 끝이 조금 이르더라도
우리가 함께하고 성장했던 그 시간을
웃으면서 기억하면 되는 거란다.

내 인생이 남들보다 조금 빨리 끝나지만
내 인생을 후회하지 않아.
이렇게나 뿌듯한 삶을 살아 다행일 뿐이야.

그러니 너도 끝이 있음을 알고도
행복하기를 바란다.

편지를 한 글자, 한 글자씩 눌러가며 읽었다. 끝을 알고도
행복해지라는 그 말. 갑자기 머릿속에 한 여자가 떠올랐다. 그녀가
나에게로 총총총 뛰어오는 게 생각이 났다. 그럴 때마다 나는 끝이
두려워 뒷걸음질 쳤고, 그녀는 상처를 줬다. 스승님, 저는 왜
그렇게나 끝을 두려워했던 걸까요? 모든 것에는 결국 끝이
있는데 말이에요.

찬영의 눈에서 한 방울씩 눈물이 떨어졌다. 볼을 타고 흐르는
뜨거운 눈물이었다. 아주 고요하고 음울했다.

*

무언가를 깨달았다고 해서 당장 달라지는 것은 아무도 없다. 근처 서점을 갔더니 '이 책을 읽고 인생이 달라졌어요.'와 같은 마케팅 문구들이 넘쳐났다. 미안하지만, 그 책을 읽는다고 해서 당장 달라지는 건 없을 것이다. 민하의 진심에 미안하다고 했던 것을 후회한다. 하지만, 그렇다고 해서 달라지는 것은 없다.

잠도 정말 잘 자고, 이제 요리도 꽤나 한다. 피아노도 틈틈이 친다. 레코드샵에 갈 때면 마주치지 않을까 약간의 기대를 해보지만 역시나 못 마주친다는 걸 안다. 크리스마스를 3일 앞둔 날, 어딜가나 캐럴이 나온다. 만약 자신이 작곡가라면 캐럴를 작곡해야겠다고 생각할 정도였다. 날이 더 추워져서 실내 슬리퍼를 하나 샀다. 털이 빽빽하게 박혀있는 푹신한 슬리퍼였다.

걸어 다닐 때마다 부드럽게 들어가는 촉감이 마음에 들었다. 그 슬리퍼를 신고 거실을 조금 돌아다니고 나선 별로 할 일이 없었다. 심심한 마음에 피아노도 쳤다. 피아노를 칠만큼 쳐도 할 일 없어 그냥 오늘은 빨리 자야겠다고 생각했다.

"삐이이이익. 삐이이익"

[서울특별시] 오늘 오전 3시 20분 서울지역 경계경보 발령. 국민

74

여러분들께서는 대피할 준비를 하시고, 노약자나 어린이 우선 대피할 수 있도록 해주시기 바랍니다.

귀가 아프도록 찔러 대는 소리에 짜증스럽게 일어났다. 아주 익숙한 멘트였다. 또 검색창을 찾아보고 커튼을 펼쳐 밖을 보아도 아무 일도 있지 않았다. 어.. 순간적으로 어딘가가 떠올랐다. 정말 혹시나 하는 마음. 헐레벌떡 옷을 챙겨 입었다. 채도가 낮은 파란색 니트와 하얀색 바지. 눈에 보이는 대로, 하지만 어느 정도 신경을 쓴 옷들이었다. 악보를 챙기고 신발장으로 가 검은색 컨버스를 신어주고는 당장 피아노 학원으로 뛰었다.

헉헉대며 숨이 차오르기 시작했지만 계속해서 뛰었다. 피아노 학원에 있는 상가에 다다르자 잠깐 숨을 고르고 계단을 올랐다. 불 꺼진 피아노 학원. 불을 켜고는 중앙의 그랜드 피아노에 앉았다. 시작되는 연주. 40분가량의 연주가 시작된다. 연주가 끝나자마자 또 연주를 계속한다. 악보는 바뀌지 않고 그대로다. 또, 처음부터 연주한다. 또, 또. 누군가를 기다리는 마음이 간절해진다. 연주는 엉망이다.

5번째 연주가 거의 끝날 때쯤. 띠링. 벨 소리가 들렸다. 찬영은 순간 마음이 벅차올랐지만 곡이 끝날 때까지는 악보만을 주시했다. 연주가 끝나자 고개를 돌려 문 쪽을 바라보았다. 그녀였다. 손톱이 정갈하게 정돈되어 있는, 진심으로 들어줄 줄 아는, 웃는 모습이 예쁜 그녀였다.

"좋아해요. 이 말 하고 싶어서 당신이 제발 여기와 주기를. 기다리고 또 기대했어요. 와줘서 고마워요"

민하는 웃어 보였다. 피아노 의자에 같이 앉아 찬영을 꼬옥 안아주었다.

마음과 관계없이 피아노를 치면 된다고 생각했다. 결국 연주에는 점점 균열이 생겼다. 세상과 일상은 마음에 관계없이 돌아갈 것 같지만, 마음이 아프면 세상에는 조금씩 금이 간다.

우리는 아프면 병원에 간다. 아플 때 병원에 가지 않는 건 미련한 짓이다. 마찬가지로 마음이 아플 때는 사랑하는 사람에게 간다. 이게 우리가 세상을 살아내는 방법이다. 마음이 아플 때 사랑하는 사람에게 가지 않는 것은, 사랑을 밀어내는 것은, 미련한 짓이다.

참고 : 이정식(2019). '최면치료, 이렇게 한다.' 서울:학지사 이지영(2021). '음악, 당신에게 무엇입니까'. 파주 : 글 항아리, 유튜브. '머리가 맑아지는 생각 비우기 수면영상(20분). KELLY CHOI, 유튜브. '설기문과 함께하는 전생체험 최면 40분'. 설기문 TV

제 2장 시간과 물질의 세계

김효진

"시간을 흐르게 하기 위해 영원의 시간을 갖다 바치는 이들이라니. 어리석어. 왜 주어진 시간을 그대로 누리지 못하고, 희소성을 부여해서 추앙하려는 거야?

너네 세상에도 이런 게 있니?"

맵1. 혼돈의 방

현재 시각은 새벽 2시 반. 어두운 방을 유일하게 밝히는 내 앞의 네모난
물체.

이 물체는 나의 과거이고, 현재이고, 나의 세계이다.
나는 이 물체 속으로 정신 없이 빨려 들어가고 있다.

쿵. 마치 엘리스가 타고 들어가는 토끼굴처럼 물체 속으로 길게 늘어져
있던 구멍을 따라 떨어진 나는 하얀 바닥에 부딪혔다.
바닥 뿐만 아니라 벽, 천장.. 주위가 온통 눈이 부실 정도로 하얗다.

그때, 눈부심을 한 층 심하게 하는 은색의 손목 시계가 내 앞에 둥둥
떠올랐다.
시계에는 1부터 12까지의 시가 있어야 할 자리에 숫자들이 빠르게
랜덤으로 바뀌고 있었다. 6부터 많게는 985까지.. 규칙은 없어 보인다.

저 멀리 벽과 검은색 선으로 겨우 경계 져 있는 문이 보인다.
문에는 가로로 긴 회색의 타원이 그려져 있고, 문고리는 없다.

희미한 문으로 다가가려 눈 앞의 걸리적거리는 시계를 치니,

툭–

바닥으로 검은색 블록이 하나 떨어졌다.

시계에는 이제 11개의 숫자밖에 없었고, 정상적인 시계라면 3이 있어야 할 자리가 하얗게 비어 있었다.
바닥에는 숫자 24가 있었다.

다시 보니 11개의 숫자는 시계 속에 있는 게 아니라, 시계와 조금의 간격을 두고 위에 떠있었다.

시계로 가까이 다가가 다시 손을 대니, 이번에는 재빨리 자취를 감추려던 51을 잡아 버렸다.

아까 떨어진 블록은 엄지 손가락 크기였지만 이번에는 손바닥보다 조금 큰 크기의 블록이었다. 시계 속에서는 3시 방향과 7시 방향은 빈 채로 10개의 자리에서 분주하게 숫자가 바뀌고 있었다.

두 블록의 차이는 무엇일까?
숫자가 클수록 블록의 크기가 커진다? 나중에 낚아챈 숫자일수록 크기가 커진다?

정리되지 않은 가설들을 뒤로 한 채로, 일단 이곳에서 나가는 유일한 방법인 것 같은 문을 살펴 봐야 했다.

문에 있던 회색의 타원은 사실 홈이 파인 거였다.

방탈출 경력 7년, 게임 플레이 경력 20여년 차의 직감으로 단번에 알 수 있었다.

홈에 딱 맞는 물체를 끼우면 문이 열린다.

하지만 이 곳에 있는 물체는 시계 뿐이다.

시계의 중심부는 정확한 원형이고, 양 옆으로 길다란 끈이 두 개 붙어있다. 여기서 타원을 끌어낼 수는 없어 보인다.

그렇다면.. 숫자 '0'

문의 홈은 가로로 긴 타원으로, 숫자 0을 눕히면 언뜻 맞을 것 같았다.

메소드 1. 시계의 숫자가 0이 되는 순간, 낚아 채어 문에 끼운다.

정신 없이 변하는 시계 속 숫자들을 뚫어지게 바라보았다.

그 빠르게 바뀌는 와중에도 0은 커녕, 한 자리 숫자로 줄어드는 적이 드물다.

오히려 숫자는 점점 커지는 경향인 것 같았다.

체감 상 30여 분이 지났을까. 온통 흰색인 곳에서 검정 색의 숫자가 계속해서 변주되는 건반을 보고 있으니 눈에 피로가 몰려왔다.

눈을 감았다. 워낙 밝은 곳에 있었다 보니 빨간색, 초록색의 잔상들이 눈을 감아도 여기 저기 보이는 듯 하다. 점차 잔상들이 없어지고, 검은색으로 덮일 때.

투둑

팔로 시계를 쳐버렸다. 그리고 눈을 떴을 때는, 이 멍한 공간에 있으며 처음으로 기쁨이라는 감정을 느꼈다.

숫자 '0' 블록 세 개가 떨어져 있었다. 시계에는 이제 1시, 3시, 7시, 11시, 12시 방향 자리가 비어 있었다.

시계를 그렇게 오랫동안 쳐다봤을 때는 0은 커녕 숫자가 세 자릿수, 심지어는 네 자릿수로 늘어나더니, 눈을 감자마자 0이 되었다.

숫자를 보고 있으면 늘어난다. 보지 않는 순간 0이 된다.

고양이 사고 실험이야 뭐야.

0블록을 당장 가져 가 문에 끼우고 싶었지만, 크기가 너무 작았다.

블록의 크기를 결정하는 것은 무엇인가?

시계를 자세히 들여다 보며 8시 방향의 수를 하나 낚아채 봤다.

이번에는 문의 홈보다도 훨씬 큰 블록이 나타난다.

직감적으로 깨달은,

메소드 2. 물체는 보이는 대로 잡힌다. 가까이서 보면 큰 블록, 멀리서 보면 작은 블록이 잡힌다.

시계의 숫자와 문의 홈의 크기를 일치시켜야 했다. 시계와 문을 일직선으로 보이게 선 다음, 숫자를 문의 홈에 맞추었다.
그리고 눈을 질끈 감고, 숫자를 낚아챘다.

후두둑 떨어지는 3개의 '0'. '0'을 문에 끼우려 다가가려던 순간,
다가갈수록 홈의 크기가 커질 거라는 걸 깨달았다.

이 자리에서 해결해야 한다. 그대로 0을 옆으로 눕혀 끼우니,

철컥-
드디어 문이 열린다.

맵 2. 정지 상태

문 틈으로 새어 나오는 소리만으로 밖은 굉장히 분주한 곳이라는 걸 알
수 있었다.

그 소란스러운 공간은 앞선 방과는 비교조차 되지 않는 엄청난 크기의
공간이었다. 마치 초대형 컨테이너의 내부인 듯, 아득한 벽의 위쪽에
조그마한 창이 뚫려 있고, 새어 들어오는 햇빛이 무색할 만큼 천장에는
수십 개의 전등이 내부를 환하게 밝히고 있었다.

나는 컨테이너의 한 쪽 벽 중앙에 서 있었다. 나의 양 옆 벽 쪽으로
붙어 있는 거대한 계단이 반대쪽 벽을 향해 뻗어 있었고, 그 곳에는
왼쪽과 오른쪽 끝을 연결하는 큰 직사각형 모양의 구멍이 뚫려 있었다.
계단에는 다 세지도 못 할 수십 명의 사람들이 오르내리고 있었고,
그들은 그 구멍으로 들어갔다 잠깐 있다 나왔다.
자세히 보니, 벽돌을 아래서부터 가져 가 계단 끝에 이어진 저 구멍
속으로 옮기고 있었다.
벽돌은 양 쪽의 거대한 계단과 구분조차 잘 되지 않을 정도로 아주 많이
쌓여 계단 시작부에 각각 고원을 이루고 있었다.

그리고 구멍 위에는 전광판이 하나 보인다.
2103.11.05.

뭐지 이건?

지나가는 일꾼 한 명에게 물어보려 발을 내딛으니,

눈 앞으로 한 홀로그램 화면이 떠오른다.

'유민수 님'

혼돈의 공간을 지나 정지 상태에 오신 걸 환영합니다.

이곳은 시간이 흐르지 않습니다.

사실, 시간은 원래 흐르지 않으니 새삼스럽네요.

혹시, 당신의 시간은 가고 있었나요?

〈다음〉

..도대체 무슨 소리야..

근데 이건.. 터..터치인가? 얼떨결에 〈다음〉 버튼을 누르니, 그 다음
문구들이 화면에 쏟아진다.

*당신은 무수한 시간의 방을 지나 '셀프 시간'을 0으로 맞춰 이곳에
들어올 수 있었습니다.*

*시간은 3차원의 세상에서 온 당신의 머릿속에 있습니다. 당신이 시간을
의식하면, 그것은 혼란을 겪고 빠르게 요동칩니다.*

하지만 당신이 신경을 거두면, 시간은 멈춰버립니다.

그것이 정상 상태니까요.

〈다음〉

시간이 흐르지 않아..? 아니 근데 아까 내 이름은 또 어떻게 안 거지..?
정신 없이 지나 온 지금까지의 퍼즐들을 이제서야 급하게 돌아 본다.

이곳은 하나의 왕국입니다.
벽돌처럼 단단한 정지된 시간 속에서 왕과 왕비가 천 여명의 일꾼들을
통치하고 있죠.
시간이 없는 채로 왕국은 무한한 역사를 겪어 왔습니다.
늙어 죽는 자연사란 없는 이들은 이루 말할 수도 없이 무수한 크나큰
사건 사고를 거쳐,
현재는 왕, 왕비, 공주 단 3명만이 권력을 쥐고 다른 이들은 노동을 하는
왕국을 형성하게 되었습니다.
<다음>

세상에 시간이 없어진다면, 당신은 어떨 것 같나요?
<입력>

'시간이 없다라 ..
평생 놀면 되지 않을까? 아니, 노는 게 질려버리면?
노는 것도 언제든 놀 수 있으니 미루게 되지 않을까?
그럼 때때로 일을 할까? 일을 해야 노는 게 더 재밌어진다 하던데 ..
근데 일도 당연히 미루겠지!

아, 잘 쉬고 잘 놀려면 돈이라도 벌어 놓아야겠다!

가만..

돈도 언제든지 벌 수 있는데 지금 벌 필요가 있나?

시간이 영원하다면..?'

<다음>

끔찍하죠. 이들에게도 그랬습니다.

이들은 집단 무기력에 빠져 견디기 힘든 시간을 영원히 보내고 있었습니다.

그래서 이들은 시간을 만들기로 했습니다.

일명 '시계탑 사업'으로, 시계를 만들어 왕국 전체를 아우르는 공통의 시간을 설정하는 것이 목적입니다.

인위적으로 시간을 부여하려는 것이죠.

현재 시계는 세밀한 고급 기술을 거쳐 완성된 상태이고,

당신이 지금 있는 곳이 바로 시계탑의 건설 현장입니다.

시계탑 사업에는 모든 국민들이 동원되었습니다.

왕국은 오직 시간을 흐르게 하기 위해서만 시간을 보내고 있습니다.

<다음>

저 구멍 속으로 벽돌을 나르는 이유가 시계탑을 건설하는 것이었나.

하지만 당신은 다릅니다.

당신의 삶 속에, 신체 속에 시간은 내재되어 있습니다.

아마 당신이 있던 곳은 20XX년 언저리겠지요.

이 곳의 시간을 보셨나요?

저는 당신과 소통하기 위해 존재하는 자, 사실 이들의 시간을 모릅니다.

<다음>

시계가.. 있었어? 벽에는 구멍밖에 없던데..

순간, 구멍 위에 있던 숫자열이 두 번째로 눈에 들어온다.

2103.11.05

당신에게 내재된 시간과 이 곳의 시간이 맞아 떨어질 때,

비로소 당신이 있던 곳으로 돌아갈 수 있는 문이 열릴 것입니다.

이들의 시간이 뒤쳐져 있다면 연료를 많이 넣으면 되겠지만,

앞섰다면 유감이네요.

아마 시계를 부숴버리고 다시 만들 수도 있지 않을까요?

혹은 시침을 돌려버릴 수 있지 않을까요?

그건 이들의 시계 세공사에게 물어봐야겠지만 ..

자 그럼 행운을 빕니다. GOOD LUCK!

PS: 아무리 이곳이 재밌어도 눌러 앉으면 안됩니다. 돌아갈 거죠?><

<끝>

제법 얄미운 문구와 함께 홀로그램 창이 사라진다.

나도 따라 사라져버리고 싶었다.

여기서 나가려면 내 시간과 저 시간을 맞춰야 한다고?

분명 지금은 2023년이었는데. 여기는 2103년인 걸?

이곳의 시계를 멈춰버린다 해도 난 여기서 80년은 기다려야 하는 것이다.

저 시계를 돌릴 수는 있는 거야?

진짜 부숴버리고 다시 만들어야 되는 거야?

시계를 만드는 데는 얼마나 걸리지?

일단, 열심히 돌아가는 저 시계부터 멈춰야 한다. 무슨 수를 써서라도.

연료는 누가 나르고 있는 거지?

저 계단 끝의 저 구멍. 시계탑으로 가는 길이니 시계도 분명 저 안에 있을 거다.

바로 왼쪽의 계단으로 돌진하였다.

수백 개의 계단을 올라야 하는데,

한 60개 올랐을 즈음.

"아이 바쁜데 왜 맨손으로 돌아다녀-?"

누군가 역정을 내며 내 어깨를 힘껏 쳤다.

어어- 그쪽으로 치면.. 떨어지는데..?

이곳은 손잡이도 없는 계단. 계단 옆쪽 폭은 꽤 되지만, 이 정도의
힘으로 민다면…

나는 저항 없이 계단의 옆쪽 면으로 떨어져버리고 있었다.

.

.

.

.

.

.

이 기시감..

분명 아까 전에 느꼈는데..

아, 아까 전에도 어디로 떨어졌었는데..

그리고 흰 바닥에 부딪혔지..

근데 내가 어디서 떨어졌던 거지?

난 뭘 하고 있었지?

네모난 물체..

모니터?
내 게임!

"으억!!!!!!!!!!!!!!"

"아 깜짝아!!!!!!!!!!!!"
"아니, 뭔 꿈을 꿨길래 그렇게 고함을 지르며 일어나요??"
열심히 작업하던 아리와 수한이 놀라며 각각 한 마디씩 한다. 아리는
그렇다 쳐도, 수한이 적잖이 언성을 높인 걸로 봐서 어지간히 놀란
모양이다.

또 내가 만든 게임 속으로 들어가는 꿈을 꿨다.
처음 시작 포인트인 흰 방부터 메소드, 퀘스트, 스토리가 계단에서
떨어지는 시점까지 정확히 일치했다. 종종 내 게임이 꿈에 나오긴
하지만, 이렇게 완벽히 플레이어가 되어 내 게임을 오롯이 겪어본 건
처음이었다.
내가 만든 게, 생각보다 무시무시한 세계였네..
아직까지 놀란 마음을 잠재우지 못한 채로 정신 없이 상황을 파악하고
있었다.

"왜, 게임 속에 갇히기라도 했었어요?"

소오름. 눈치 빠른 아리가 단 번에 내 꿈을 맞힌다.

"어.. 어어! 생각보다 재밌더라고. 할 만 하던데?"

"그러기엔 너무 놀라던데. 뭐 어디서 떨어지기라도 했나?"

수한이 거든다. 코딩하다 툭 던지는 말 치고는 너무 정확하게
간파하는데.

"아 그럼 그 계단에서 떨어지는.. 거기인건가? 암튼, 요즘 게임 꿈 너무
자주 꾸는 거 아니에요? 무리하는 거 아닌가 몰라."

"형 아직 갈 길 멀어요. 좀 쉬엄 쉬엄 해야 끝까지 오래 가지."

수한의 말대로 게임은 핵심 캐릭터인 공주가 등장하기 직전까지
완성되었기에, 할 게 산더미인 게 사실이다. 게임 전체로 보면 반 정도
완성되었다.

이 게임은 사용자가 선택한 대로 스토리가 진행되는 게임으로, 약 14
개의 결말이 예정되어 있다.

공주는 게임의 결말을 구분하는 핵심 인물로, 특히 공을 들여 스토리를
짜고, 작화하고, 개발해야 한다.

캐릭터. 공주

계단에서 떨어진 플레이어는 경미한 타박상은 입었지만 무사하다.

이 곳은 누구든 더블 점프로 3m까지도 갈 수 있는 세계. 중력의 영향을 안 받는 건 아니지만, 중력에 의한 부상 정도는 확실히 현실보다 무디다.

플레이어는 게임에서 빠져 나가기 위해 시간을 돌리려 갖은 노력을 하게 된다.

컨테이너 밖으로 나가 시계 수리에 필요한 각종 흩뿌려진 아이템을 수집하고, 변종 동식물을 해치우며, 가끔 달려드는 국민들과 마찰하고 스토리에 따라서는 갇히기도 한다.

그렇게 플레이어가 지칠 때쯤, 황무지를 홀로 돌아다니던 공주를 만나게 된다.

공주는 고지식한 왕, 왕비와는 달리 모험적이고 반항기 있는 성격으로, 왕국의 역사에서도 중요한 인물이다.

집단 무기력이 반란으로 이어지는 것을 막기 위해 왕과 왕비는 시계탑 사업을 시작했지만, 공주는 모종의 이유로 이를 결사 반대했다.

하지만 시계탑 사업은 저항 없이 강행되었고, 회의감을 느낀 공주는 왕국을 탈출하려 계속해서 왕국의 외곽인 황무지를 탐험하고 있었다.

그러던 중 플레이어를 만나고, 플레이어가 다른 세계에서 온 사람임을 알게 되자, 세계를 건너는 방법을 캐내며 같이 탈출하자고 회유한다.

물론 플레이어 자신조차 그 방법은 모르지만 말이다.

여기서 플레이어가 원래대로 왕국의 시계를 거꾸로 돌려 탈출할지, 혹은 공주와 손을 잡을지에 따라 게임의 플레이는 아주 달라지게 된다.

.

.

이 게임을 개발한 지는 6개월이 되어 가고 있다.

우리는 3인으로 구성된 인디게임 개발사 '굿럭'이다. 전반적인 게임 기획 및 개발 보조 담당인 나, 아트 담당인 홍아리, 그리고 개발자인 임수한. 파트 당 한 명뿐인 작은 조직이지만 내가 보기엔 모두 일당백인 전문가들이다.

나는 운 좋게 26세 때 대학을 졸업하자마자 대형 게임 회사의 기획 업무로 취직하였다. 재학 시절 게임 개발 프로젝트에서 항상 게임 시나리오를 담당하고, 머리를 싸매며 게임을 구상하던 경험이 취업에 큰 도움이 됐던 것 같다.

내 모든 창의력을 동원해서 근사한 세계를 창조하겠다는 포부를 갖고 게임 회사에 입사하였다.

하지만 들어간 지 반 년도 채 지나지 않았을 시점부터 일이 너무 질려버리고 말았다.

그 회사에서 하는 게임 기획의 주 목적은 사용자들을 중독시켜 게임을 계속 플레이 하게 만들고, 게임 내 결제를 유도하는 것이었다.

각종 아이템과 캐릭터의 구매 메커니즘을 최대한 노골적이지 않고 은밀하지만 피할 수 없는 방식으로 짜야 했고, 플레이하며 필요한 것들을 어떻게 얻기 어렵게 만들어 애간장 태울지 치열하게 고민했다.

나는 회사에 입사한 지 2년을 채우기도 전에 퇴사하였고, 홀로 게임을 개발해 오다 역대급 규모의 인디게임 개발대회가 열린다는 소식을 접해 팀원을 구하고 작년부터 이 게임을 개발해 오고 있다. 인디게임 개발 대회는 종종 있었지만, 이번 만큼은 2억에 달하는 상금 액수로 인해 엄청나게 홍보가 되어 일반 대중들도 많이 관심을 갖고 있다. 실제로 게임과 관련 없는 내 동창들에게 물어 봐도 열에 하나는 아는 꽤 인지도 있는 대회다. 5등 안에 입상만 한다면 게임 사용자층 확보는 물론이고, 우리 회사의 이름을 전국적으로 알리고 신뢰를 얻을 수 있는 기회였다.

다만, 많이 아쉬운 점은 ..

대중적으로 유명해짐을 안 대회 측에서는 본래 독창성, 기획력, 완성도, 대중성 4가지 였던 평가 기준의 대중성 부분을 대폭 확대하여 다운로드 수에 따라 앞의 세 기준에 미달되어도 충분히 압도할 수 있을 만큼 가산점을 부여해 버렸다는 점이다.

"저희 대회 마감 기한도 두 달 밖에 안 남았는데.. 스토리 디테일들 언제 완성되나요? NPC들 움직임은 다 자연스럽나요 이제? 공주 외형은 얼추 완성되어 가거든요."

아트 담당인 홍아리가 언제나와 같이 보챈다. 그녀는 나와 동갑인 29살로, 내가 기획하고, 수한이가 개발하는 이 게임의 화면, 캐릭터, 맵 등 모든 디자인을 맡고 있다. 우리 게임은 특정 세계관에서 체험으로 플레이 되는 3D 게임인 만큼 사용자가 게임 속에 몰입할 수 있어야 하고, 아트 디자인이 많이 중요하다.

"공주가 드디어 완성된다고? 보자..
아, 이건 너무 귀엽기만 하잖아. 복장도 이렇게 품이 큰 치마를 입고 어디를 돌아다닐 수 있겠어?"
아리가 창조한 공주는 키는 크지만 아주 앳된 얼굴에 중세풍의 화려한 질질 끌리는 드레스를 입고 있었다.
"아니, 공주가 귀여우면 좋은 거 아니에요? 유저들이 무조건 공주를 따라가게끔 만들라면서요. 그리고 복장은 게임적 허용이라는 게 있는 거에요. 뭐 무거운 옷 입는다고 게임 속에서 못 돌아다닙니까? 왜, 졸리면 잠도 자고 배고프다고 밥도 먹이지 그래요. 그리고 공주랑 왕, 왕비랑 스타일도 맞춰야 할 거 아니에요."
"아니야. 왕과 왕비는 치장이 어울려. 그들은 그저 앉아서 왕국이 무슨 일 없이 잠잠하기만 하면 안도하는 이들이란 말이야. 근데 공주는 달라. 공주는 그 누구보다 자유로워야 한다고. 언제든지 탐험을 떠날 준비가 되어 있어야 해. 하늘하늘한 치마로 바꿔 줘. 아님 차라리 바지를 입히던지. 그리고 음.. 얼굴에 얼룩을 하나 묻힐까? 야생적인 느낌이 나도록?"

"그만 그만~ 얼굴은 제가 알아서 합니다. 복장까지만 받아들일게요. 아무리 그래도 공주인데 세수는 하고 다니지 않을까요?"

음.. 일리 있는 말에 지금은 이만 말을 줄이기로 한다.
내가 그녀를 처음 만난 건 4년 전 그녀의 졸업 전시에서 였다.
친구 따라 간 옆 학교 졸업 전시에서 유독 눈에 들어 온 작품이 있었다. "꿈"이라는 제목의, 사람 키를 훌쩍 넘기는 대형 캔버스에 그려진 작품이었다. 열댓 명의 사람들이 뒤엉켜 있지만 교복, 의사 가운, 잠옷 등 또렷한 인상착의에 비해 그 누구의 표정도 제대로 보이지 않는, 이 사람이 울어서 이렇게 얼굴이 번진 건지 웃어서 입이 벌어져 있는 건지 알 수 없는 몽환적인 그림이었다.

근데 그림보다 인상적이었던 건 아리의 작품에 대한 태도였다. 누군가가 그림의 의미를 물으며 다가오면, 되려 "무슨 의미인 것 같아요?"라고 묻고 있었다. 조금은 당황한 상대방이 얼게 설게 자신의 추측을 얘기하면, 아리는 뭐든 맞다며 오히려 더 맞장구 쳤다. 사람에 따라 작가 자신의 해석이 즉흥적으로 달라지고 있었다.

누구에게나 내 그림이 와 닿았으면 좋겠다는 욕심에서 시작된 고도로 계산된 전략인지, 아니면 정말 모든 사람의 의견을 몸소 포용하고 있는 건지. 어느 쪽이든 특이했다.

그리고 3년 후 내가 다니던 회사에서 나와 인디 게임을 홀로 개발하고자 할 때, 언뜻 이 인물이 떠올랐다. 그녀의 진심이 전자였든 후자였든, 여러 상황에 즉흥적으로 대처하는 순발력이나 사용자의 니즈를 모두 포용하겠다는 태도는 둘 중 하나라도 의미가 있었다. 당시 졸업전시에 초대했던 친구를 통해 아리를 소개 받았고, 마침 아리도 프리랜서 디자이너였기에 비교적 수월하게 함께하게 될 수 있었다.

"오, 이제 공주 넣을 수 있는 거에요? 지금 공주님이 그냥 원기둥 오브젝트라서 몰입이 하나도 안된다고요."
진작에 공주를 원기둥으로 대체하여 다음 전개 부분을 개발하고 있던 임수한이다.
임수한은 나와 같은 대학 컴퓨터공학과 한 학번 후배로, 개발에 아주 재능 있는 친구이다. 같은 결과를 구현하더라도 다른 이들이랑 접근 방식이 달랐다. 컴퓨터적인 사고 방식이 기본으로 탑재되어 있달까. 속도는 얼마나 빠른지.
어떤 어려운 과제가 주어져도 최소한의 삽질로 빠르게 해결할 수 있는 개발자였다.
"되는 줄 알았는데 아니네요. 원기둥에 조금만 더 생명을 불어 넣고 있어봐요. 아, 원기둥 깎으면 짠- 하고 공주가 나왔으면 좋겠다-"

수한과 아리의 재촉 섞인 푸념을 각각 뒤로 하고 잠시 바람 쐬러 옥상에 올라 갔다.

게임 속에 갇힌 듯한 리얼한 꿈에서 깨 정신 차릴 새도 없이 이것저것 생각하자니 머리가 터질 것 같았다.

그런데 여기엔 더 보기 싫은 사람이 있다.
한예준이다. 가끔 옥상에서 마주치는데, 지금처럼 항상 담배를 피고 있다.
건물 전체가 공유 오피스이고 주로 게임 개발자들이 들어와 있는지라, 종종 나와 같은 인디게임 개발자들을 건물 안팎에서 마주친다. 한예준도 우리 오피스의 아래층에 들어서 있는 게임 개발사의 대표였다.
그는 말 그대로 게임 만드는 기계였다. 5명 남짓한 그리 많지 않은 팀원으로 최소 3개월에 한 개씩 굵직한 규모의 게임을 출시하고 있었다. 이 정도의 속도를 맞추려면 팀원 모두가 매일 3시간 이하로 자거나 퀄리티가 저질인 것이라는 조롱 섞인 우스갯소리가 종종 이 건물에서 공유되곤 했었다.

예준이 만든 게임은 나도 몇 번 플레이 했었는데, 매번 기대를 안 함에도 실망하지 않은 적이 없었다. 비슷한 게임이 100개도 넘게 있을 것 같은 뻔한 스토리, 예쁜 디자인으로 구매욕만 당기는 실속 없는 아이템.. 그의 비결은 딱 하나로 보였다. 시각적 자극. 성인 등급을 받지 않는 선에서 그는 할 수 있는 최선을 다했다.
그가 만든 게임들은 항상 인디게임 플랫폼인 'STEP'의 상위권에 랭크 되어 있었다. 살색 혹은 빨간색의 노골적인 썸네일이 랭크되어 있는 것을 볼 때면 항상 착잡했다.

그가 나를 발견하자 다가와 말을 건다.

"어- 반갑네? 안 그래도 한 번 보려고 했었는데."

아, 대뜸 반말하는 이 말투도 이 사람이 비호감으로 인식된 큰 이유였지. 근데 날 보려고 했었다니? 오다가다 인사만 해 본 사이인데.

"저- 너네도 대회 나가나?"

"응. 왜요?"

반존대로 대답했다.

"그.. 세계관이 꽤나 크다는 소문이 들리는데. 그거 다 개발할 수는 있겠어?"

..견제하는 건가?

"무슨 상관인데, 요?"

"아니, 아무리 이번 대회에서 뭐 독창성이니 기획력이니.. 퀄리티를 본다고 해도. 결국에는 비중 60%인 대중 평가로 결정될 거거든."

"..근데요?"

"말이 대중 평가지 그냥 다운로드 수이고.. 물론 마감일 이후에 네 달 동안 다운로드 횟수 카운팅 하는 기간이 있지만, 그래도 최대한 뭐라도 빨리 출시해 놓는 게 낫지 않나 해서. 나는 이미 초기 버전은 내놨고, 이제 계속 업데이트만 하면 되는데."

워낙 개발 속도가 빠른 예준이기에 대회에 참가할 게임을 미리 다 만들어 놨을 거라는 생각은 했지만, 출시 마감일이 두 달 남짓한 시점에

벌써 게임을 공개했다는 건 의외였다. 두 달이면 누군가가 작정하고 게임을 똑같이 만들려 하면 충분히 따라할 수 있는 시간이었다. 게임이 카피 당해도 상관 없다는 건가.

"우리는 이번에 RPG 게임을 만들었거든. 사람들이 단체로 섬에 갇히고 생존하기 위해 서로 총싸움을 벌이지. 근데 이게.. 하 다 좋은데, 전체적으로 시나리오가 부족한 것 같아서 말이야."
의외다. 스토리는 원래 신경 안 쓰는 사람 아니었던가? 대회라고 그래도 공을 들이고 싶은 건가?

"그래서 여기 판타지적인 세계관을 좀 추가할까 하거든? 어떤 트리거를 자극하면 차원의 문이 열리는 거야. 그리고 거기로 가서 또 다른 세계의 사람들과 총싸움을 하는 거지.
그래서 말인데.. 그 혹시, 우리 게임을 합치면 어떨까 하는데?"
제법 뻔뻔하고 당당한 태도에 할 말을 잃었다.
"..... 네?"
"우리 게임은 이미 100번 넘게 다운로드 됐어. 그런데 너네는 완성까지 꽤 남았다고 하던데? 너네 게임을 좀 축소시키고, 우리 게임을 1막, 너네 게임을 2막으로 합쳐서 만드는 거야. 여러 모로 서로에게 유리할 것 같아서. 우리 두 팀 합쳐도 8명이니까 참가 기준인 10명 이하에도 맞고."

얼토당토 않은 얘기다. 어떻게 이 시점에서 이런 제안을 할 수 있는지. 내가 지금 만드는 게임에 얼마나 애정을 쏟고 있는지, 얼마나 노력하고 있는지를 1초라도 생각해 봤다면 절대 할 수 없는 제안이다. 그리고 본인도 치열하게 게임을 만들어 본 경험이 있다면 내뱉을 수 없는 말이다.

"그 대단하신 출시했다는 게임, 해 보지도 않았는데 이미 뻔하네요."
"뭐?"
"지금 만드는 게임을 포기하고 다른 사람의 결과물에 합쳐 버리라니, 게임의 기승전결이나 완성도 따위는 전혀 상관 없다는 건가요? 당신네 게임은 보나마나 프로그래머들이 게임 개발 공부하려고 각종 그럴 듯한 기능 때려 넣어서 만든 게임과 다르지 않을 것 같네요. 디자인만 좀 세련되게 꾸며 놓고."
"..다시 말해봐."
"그런 게임이랑 우리 게임을 합쳐 버리라니. 그냥 이번 대회 포기하라고 하는 게 어때요? 퀄리티 딸리는 게 너무 보일까봐 쫄린다고."
예준의 얼굴이 매섭게 구겨진다.
"하루 빨리 게임을 완성하고 싶어졌어요. 무난한 일상이었는데 지금부터 다시 달리겠네요. 자극 고맙습니다. 참, 자극하는 데에는 도가 트셨나 봐요? 게임도 많이 자극적이시던데."
"이 자식이..!"
"갑자기 많이 바빠져서, 가 볼게요."

분노를 숨길 생각이 없어 보이는 예준을 뒤로 하고 옥상을 빠져나왔다. 예준은 뒤에서 소리치며 욕설을 내뱉고 있었다. 물론 전혀 귀에 들어오지 않았다. 게임을 빨리 완성시키고 출시해야겠다는 생각만이 머릿속에 가득 차 있었다.

.

.

3주 후

그러나, 현실은 녹록지 않았다.

아리가 독감에 걸려 일주일 째 출근을 못하고 있다. 재택으로 근무하며 간간이 그림을 보내긴 하지만, 게임에 넣기에는 부끄러운 단순한 그림들이다.

미완의 공주 캐릭터를 갖고 여기 저기 붙이고 생명력을 불어넣으며 나와 수한이 게임을 수습하고 있었다.

습관적으로 들어간 STEP에 또 익숙한 이름과 썸네일이 떠 있다.

Yeye-J. 예준 팀이 개발한 게임이었다.

출시일은 한 달 전. 전에 옥상에서 말한 그 게임인가.

업데이트가 되었는지 신규 게임으로 새롭게 배너에서 홍보되고 있었다.

거들떠도 보기 싫었지만, 대회에 출품하는 입장에서 최소한의 경쟁자 분석을 위해 게임을 다운 받아 플레이 해 본 나는, 게임의 메인 캐릭터

스킨 중 하나인 여전사를 보고 경악하지 않을 수 없었다.

검정색의 딱 붙는 상의에 흔치 않은 검은색 7부 바지를 입고, 반투명한 은빛 망토를 두르고 있었다.
더해서 파마끼 있는 하늘색 머리와 에메랄드 빛 눈동자로 확신할 수 있었다.
내 게임에서 잃어버린 공주의 모습이었다. 전체적으로 칙칙한 회색 빛깔의 이 게임을 특유의 하늘하늘함과 화사한 푸른빛으로 밝히고 있는 아주 매력 있는 스킨이었다.

굉장히 합리적인 의심이 사실임을 인정하기 싫었지만, 확인해야 했기에 대회 홈페이지에서 참가자 팀원을 다시 조회했다.
Yeye-J팀. 6명. 추가 팀원 홍아리.
굿럭팀. 2명.

'왜?' 라는 생각이 가장 먼저 들었다.
'무엇이 아리를 움직이게 했을까?'

언뜻 일전에 아리에게 직접 들었던 소문이 머리를 스쳤다.
예준은 새로운 팀원을 포섭할 때 첫 세 달은 그 사람이 받았던 액수보다 무조건 1.5배 가량의 월급을 지급한다고 한다. 그리고 포섭에는 방법과 수단을 가리지 않는다.

조롱하는 말투였지만, 오묘하게 스쳐 지나간 고민의 낯빛을 그때는 왜 알아차리지 못했을까.

아리와 반 년 이상 같이 일 해 본 나는 단번에 알 수 있었다. 예준의 게임에 아리의 흔적은 공주 뿐이다. 공주는 그곳에서 자유로운 여전사가 되어 상대를 잔인하게 죽이고 있었다. 아리는 공주의 성격을 자세히 모른다. 아직까지 내 머릿속에만 있던 성격이었기에..
내가 만든 자유롭고 정의로운 공주는 무참히 변질되어 있었다.

대회 출품 마감까지 한 달 남은 시점에서, 게임 속 핵심 캐릭터의 외형을 뺏기고 아트를 새로 구해야 하는 우리 팀은 방도가 딱히 보이지 않았다.
결국, 수한이와 나는 대회 출전을 포기했다.

.
.
.

6개월 후,

대회의 결과가 나왔다. 압도적인 다운로드 수로 가산점을 받은 한예준팀의 승리. 대망의 상금 2억을 받은 이들은 꽤나 화제가 되며 언론에 오르내렸다.

다만, 여론은 아주 나빴다.

높은 다운로드 수 만큼이나 비추천수도 압도적으로 많았고, 하나같이
비난의 댓글들이 쏟아졌다.

'이게 2억을 받았다고? 200원도 내기 싫은데'
'너무 노골적인 수가 보이는 게임..'
'그냥 성인 만화를 그리지.. 굳이 게임이어야 했나요?'

그리고 나의 게임도 드디어 완성되었다.

그 일이 있고 대회 출전은 포기하였지만, 디자인을 제외한 다른 부분을
모두 짜 놓고 아트 디자이너를 새로 구해 게임을 완성하였다.
공주는 하늘하늘한 은빛 원피스를 입고 파란 나비 뱃지를 달게 되었다.

최종 검수 후, 배포 버튼을 클릭하였다.
기분 좋은 기다림의 시작이다.

나는 눈을 감고, 게임을 상상 속에서 편하게 플레이 한다.

제법 만족스러운 게임이다.

.

.

황무지의 공주가 나에게 다가와 말을 건넨다.

"너도 시계탑을 짓고 있니?"

"아니, 나는 여기서 나갈 방법을 찾고 있어. 난 이 세상 사람이
아니거든."

공주는 반색하며 더욱 다가오며 묻는다.

"너, 나랑 여기를 탈출하지 않을래?

이곳 사람들은 다 바보같아. 시간을 흐르게 하기 위해 영원의 시간을
갖다 바치며 시계탑을 짓고 있는 이들이라니. 어리석어. 왜 주어진
시간을 그대로 누리지 못하고, 희소성을 부여해서 추앙하려는 거야?

너네 세상에도 이런 게 있니?"

.

.

예준은 우승을 기념하기 위한 파티를 열고, 축배를 들었다. 아리는 있지
않았다. 물론 상금은 공평하게 가졌을 터이다. 하지만 아리는 더 이상

게임 디자인을 하지 않았다.

언젠가, 공주가 이런 말을 한 적이 있다.
"너, 시계가 움직이려면 정말 연료가 필요한 거 같니?
아니, 시계는 연료로 돌아가는 게 아니야. 내부의 톱니바퀴에 의해 자동으로 돌아간다고. 정말로, 국민 모두가 저렇게 전전긍긍할 필요가 없어."

"맞아. 시계는 우리 세계에도 있어서 항상 궁금했어. 그럼 저 사람들은 왜 시계에 연료를 넣는 거지?"
".. 노력이 많이 들어야 시간이 더 가치 있어지니까."

공주는 결심한 듯 덧붙인다.
"그래서, 난 모두를 해방시킬 생각이야. 저 답답한 컨테이너보다는 아무것도 없지만 자유로운 이 곳 황무지가 훨씬 나아. 그리고 이 밖에는 또 뭐가 있을까?"

나의 회심의 게임은 이제부터 시작이다. 모든 플레이어가 공주를 따라가지 않을 수 없게끔, 치밀하게 설계하였다.
전화가 와 잠시 게임을 멈추었다. 화면에는 다음 글자만이 띄워져 있었다.

To be continued.

맵 4 ~ ?. 공주와의 탈출

에필로그 - 라흐마니노프의 밤

정찬영 (남, 29 세)

"몰락한 천재가 될까 봐 발발 떠는 거, 그래서 결국에는 이런 나를 죽도록 미워하는 것밖에는 방법이 없는 거야."

"사랑…? 두렵지, 이런 내가 사랑할 자격이 되기나 하는 걸까?"

프로필

세계 3 대 콩쿠르 중 하나인 번클라이프의 최연소우승자. 15 세의 나이에 국제 콩쿠르를 석권하던 천재. 세계를 돌아다니며 독주회를 열었다 하면 몇 초 만에 전석 매진. 암스테르담에 거주하며 피아노 활동을 이어 나가다가 돌연 안식년을 선언한다.

가족관계

엄마 : 가정주부

아빠 : 사업가

여동생 : 대학생

자세한 프로필

찬영이 태어날 때를 기점으로 아버지의 사업이 잘 풀리기 시작했다. 허름한 아파트, 구멍 난 양말을 꿰어 신는 절약정신은 변하지 않았지만 찬영의 교육에는 뭐하나 아끼지 않았다.

여섯 살에서 일곱살로 넘어가는 기점의 아이 중 피아노 학원, 태권도 학원, 미술 학원을 모두 다니는 사람은 찬영뿐일 거다. 태권도와 미술도 곧잘 해냈지만, 피아노는 독보적이었다. 아이가 피아노에 재능이 있다는 상가 피아노 선생님의 한마디에 찬영의 어머니도 어찌나 설레발을 쳤는지 모른다. 아이가 집에 들어올 때면, 베토벤과 바흐의 cd를 그렇게도 틀어 놓으셨으니 말이다.

재능뿐이라면 모를까. 찬영은 피아노를 하루도 놓지 않았다. 비가 오건, 눈이 오건 피아노를 쳤다. 이런 찬영에게 첫 번째 시련이 닥친다. 콩쿠르를 앞두고 스승님이 돌아가셨다. 스승을 잃은 슬픔을 추릴 새도 없이 연습에 매진한다. 찬영은 결국 세계 3대 국제 콩쿠르에서 최연소 우승을 하게 된다.

번클라이프 우승 후 찬영의 삶은 더 화려해졌다. 화려한 삶에, 완벽한 그는 과연 행복했을까? 텅 비어버린 마음과 정점을 찍으면 내려올 곳 밖에 없는 사실. 하루하루 늘어가던 실력과 다르게, 어느 순간 정체되어 있는 피아노 실력에 또 한 번 좌절한다. 평가를 하는 것을 업으로 하는 공연 평론가부터 공연이 끝나면 화장실에서 평론가보다 더 신랄한 평가를 하는 관객들까지. 찬영은 피아노를 치는 것이 두려워지기 시작한다.

잘생겼다. 하얗고 깨끗한 피부에 무쌍에 내려간 눈꼬리. 찬영을 외모로 싫어하는 사람은 아무도 없을 듯했다. 거기에 가늘고 긴 손가락으로 내는 숨 막히게 몰입감 있는 연주라니. 가끔 이 남자가 현실에 있다는 게 믿기지 않을 정도였다.

다정하다. 다정함은 언제나 그를 표현하는 수식어 같은 것이었다. 다른 스태프보다 먼저 대기실에 도착해 날씨가 더울 때는 에어컨을, 추워지면 히터를 틀어놓는 게 일상이었다.

마음 한켠에 죄책감이 있다. 찬영의 아버지는 무서웠다. 심기를 잘못 건드리는 날에는 심한 욕설과 폭력에 시달려야 했다. 어머니는 거기에 반항을 하지 않았다. 아빠가 불같이 화를 내며 물건을 던져도 어떡하겠어. 참고 살아야지라고 했었다. 아버지는 나와 동생 중에 한명이 아버지의 회사를 물려받기를 원했다. 그래서 그 고약한 절약 정신은 버리지 못해도 교육에는 뭐 하나 아끼지 않았다. 실제로 돈이 없는 편은 아니었지만, 부모님은 제 교육 외에 다른 곳에 들어가는 돈은 모두 아끼셨다. 그럴수록 더 잘해야 한다고 생각했다.

다행인지 불행인지 찬영은 어릴 적부터 피아노에 재능을 보였고 이를 발견해 준 피아노 선생님 덕분에 줄곧 피아노를 쳤다. 아버지는 이를 못마땅히 여겼다. 내심 회사를 물려받는 건

장남인 찬영이 해주었으면 싶었지만 쯔쯔. 피아노 따위나 치고 있는 주제라니. 그래도 찬영이 나가는 대회마다 줄줄이 상을 타왔기 때문에 반대할 수는 없는 노릇이었다.

동생에게는 항상 미안했다. 찬영은 번클라이프 콩쿠르 우승 후 해외생활을 했다. 반면, 동생은 아버지의 모든 것을 통제했고 엄하게 가르쳤다. 찬영은 아버지에서 벗어났다는 생각에 해외에서의 생활이 죄책감처럼 다가왔다.

김민하 (여, 28세)

"진짜 안 자고 싶은데… 클래식 공연에만 5성급 호텔에서보다 더 잘 자더라고요??"

"그게… 그냥 서툴러서 그래요. 이제껏 내 얘기를 들어주는 사람이 없어서요."

기본 프로필
들어주는 것에 도가 튼 심리상담가. 하지만, 들어주는 것에만 익숙하지 속 깊은 이야기를 하는 건 영 소질이 없다. 언제나 바쁜 부모님 속에서 자라 의지할 곳이 없어도 씩씩하게 하루를 살아간다.

가족관계
엄마 : 출판사 대표
아빠 : 펀드매니저

자세한 프로필
클래식 음악을 대외적으로 좋아했던 부모님을 따라 어릴 적부터 클래식 공연장에 자주 가곤 했지만 민하에게 클래식은 그저 자장가였다. 연주회장의 어두운 조명, 편안하고 푹신한 의자에 더해진 클래식 음악은 잠이 솔솔 오기에 충분했다.

맞벌이 가정의 부모님이야 늘 그렇듯 바빴다. 민하의 엄마는 아침 일찍 밥을 차려놓고는 출근했고, 퇴근해서도 밥을 차려놓고 줄곧 방에 들어가서 일을 했다. 밥만 차려주면 다라고 생각하는 것 같다. 어버이날에 학교에서 부모님께 감사의 문자를 보내라고 한 적이 있었다.

솔직히 오글거렸지만 이번 한 번이라는 생각에 용기를 내서 한마디를 보냈다. "태어나게 해주셔서 감사합니다. 어버이날 축하드려요." 다른 애들은 엄마가 이렇게 길게 답장해줄지 몰랐다며 한마디씩 했다.내 전화기는 울리지 않았다.

중3 시절 반에서 일어난 아주 작은 사건이었다. 캐릭터가 그려진 볼펜이 없어졌다며 반에서 큰 무리를 지어 다니던 한 친구가 소리를 고래고래 질러댔다. 큰 무리의 친구 중의 한명이 볼펜이 놓아져 있는 책상 근처에 있던 나를 봤다는 그 한마디에 순식간에 범인이 나로 몰렸다. 결국 선생님에 의해 볼펜을 그냥 하나 내가 사주는 걸로 마무리가 됐다.

억울했다. 선생님 앞에서도 '저 아니에요'라고 말해보았지만 돌아오는 말은 너 솔직하게 말하면 용서해 줄 게 였다. 미치도록 억울했다. 내 손으로 그 볼펜을 사러 갔을 때 억울한 마음에 눈물이 났다. 펜을 손에 들고 가게 안에서 펑펑 울었다. 가게 아저씨가 당황하셨는지 그 펜을 공짜로 주시겠다고 했다. 그 말에 더 눈물이 나서 계속해서 울었다.

억울한 일이 있어도 말할 곳이 없었다. 부모님은 바빴고 친구들은 각각 국제고와 자사고를 준비하고 있었다. 입시를 앞두고 괜히 신경 쓰이게 하고 싶지 않았다. 이 말을 하면 나 대신 나서서 선생님에게 따질 것이라는 걸 알고 있었기에 더더욱 말하지 않기로 했다.

차가워 보이는 외모. 큰 눈이지만 올라간 눈꼬리 때문에 말 걸기 어려워 보이는 첫인상을 가지고 있지만 오해다. 그 누구보다도 사람을 좋아하며, 남을 먼저 생각할 줄 아는 사람이다.

들어주는 것에 익숙하다. 동시에, 자신을 말하는 것에 서투르다. 부모님에게도 친구에게도 속 깊은 이야기를 해본 적이 없으니 당연할지도 모른다. 그래서 결국 들어주는 걸 업으로 삼게 되었다. 그래도 자신의 이야기를 꺼낼 수 있는 사람을 내심 기다린다.

약간의 시니컬함을 가지고 있다. 성선설도 믿을 만큼 사람에 대한 믿음이 있다만, 인생은 각자라고 생각한다. 따로 또 같이. 자신의 선을 굳이 넘지 않아 주었으면 좋겠다. 선을 넘는 걸 허락하기까지도 꽤나 시간이 걸리는 편이다.

[부록 1] 피아니스트 인터뷰

인터뷰이 : 한양대학교 피아노전공 최규희님

1. 피아노는 어떻게 시작하시게 되었나요?

최규희 : 어떤 학원 다녀볼까 하다가 부모님의 권유로 시작했어요. 여자들은 피아노 발레 뭐 이런 거 다니잖아요. 그래서 7 살때부터 피아노학원을 다니게 된 것이 시작이었어요.

2. 그럼 7 살때부터 피아노를 치신거네요? 꽤나 오래 치셨는데 좀 힘들었던 때나 슬럼프가 올 때가 있었나요?

최규희 : 실력이 정체되어 있는 것 같고 맨날 레슨 선생님한테 혼나고 그럴 때 조금 자괴감 들면서 무너지는 것 같아요. 왜 실력이라는 게 계단 모양으로 늘잖아요. 또 슬럼프는 아니지만 번아웃처럼 아무것도 손에 안잡히고 그러는 시기가 있었는데 그때는 정말 아무것도 안하고 피아노가 치고 싶을 때까지 쉬고 다시 치기 시작한 것 같아요.

3. 피아니스트나 아니면 피아노로서 직업을 가지려면 어떤 코스나 이런 교육 과정 같은 게 따로 있는 건가요?

최규희 : 기본 루트라고 하면 예중, 예고, 유학인 것 같아요. 근데 그렇게 한다고 해서 피아니스트를 하려면 무조건 해야한다는 아니고요. 연주자들 프로필을 봤을 때 그런 사람들이 대부분인데 뭔가 어릴 때 엄청 두각을 나타내 가지고 콩쿠르에서 입상을 해서 어떤 소속사에서 그 연주자를 데리고 가서 피아니스트로 크게 키우는 그런 경우도 있는 것 같아요.

3-1. 그럼 유학도 많이 가는 편인거죠?

최규희 : 네. 유학을 중간에 학기 중에 가는 사람도 있고 다 졸업하고 마치고 가는 사람도 있어요. 유학도 되게 나라도 다양해가지고 미국, 유럽에서는 독일쪽으로 많이 가는 것 같습니다. 아니면 러시아나 중국으로 가기도 합니다.

4. 공연을 앞두고는 어떤 감정이나 생각을 가지시나요?

최규희 : 최근에 졸업 연주를 끝나서 너무 이제 잘 말씀드릴 수가 있는데요.연주 날짜가 딱 정해지면 그때부터 이제 떠는 것 같아요. 저는 그래서 막 다가오면 다가올수록 불안하고 무섭고 초조하고 그런데 이제 진짜 직전이면 오히려 더 뻔뻔해지는 것 같아요. (웃음).

어떤 친구가 저한테 제가 너무 떨고 있으니까 어떡하냐 이렇게 물어보니까 이제부터는 누가 더 뻔뻔하냐의 차이라고 했어요. 그런데 이 뻔뻔함도 준비를 좀 잘해놔야 그런 마음이 들 수도 있을 것 같아요.

5. 준비하는 어떤 과정에서는 보통 어떤 걸 느끼시나요?

최규희 : 우선 곡 선정과 해석이 필요해요. 내가 어떤 연주를 하고 싶은지 그러니까 제가 만약에 어떤 곡을 친다고 하면 그 a 라는 곡을 연주자마다 다 다르게 해석이 되잖아요. 저는 어떻게 이걸 해석하고 보여주고 싶은지 그러니까 음악에 대해서 더 집중하려고 하는 것 같아요.

5-1. 그러면 곡은 직접 선정을 하시나요?
최규희 : 저는 보통 제가 하고 싶은 거 하는 편인데 이제 어떤 애들 같은 경우에는 그냥 선생님이 이런 곡을 많이 친다더라 이런 곡이 좀 잘 먹힌다 뭐 이런 등등의 이유로 권유 받아서 하는 경우도 있더라고요.

5-2. 그럼 직접 선택할 때는 자신만의 기준이 있으신가요?

최규희 :약간 비유를 하자면 좀 그러니까 뭔가 곡을 시작하는 것도 약간 사랑의 시작이라고 생각해요.

이 곡에 내가 좀 애정이 가고 정이 가고 뭔가 호감이 가야 그거를 어쨌든 짧게는 3 개월 아니면 1 년 이렇게 준비할 수 있다고 생각해요. 적어도 질리면 안 되잖아요. 그래서 그냥 뭔가 진짜 사랑을 시작하는 느낌으로 끌려야 된다고 생각해요.

각자마다 끌리는 게 다르잖아요. 특히, 저는 좀 빵빵하고 메이저의 곡들을 좀 좋아하는 것 같아요.

5-3. 특히 좋아하는 노래가 있나요?

최규희 : 저는 이번에 연주했던 슈만 빈 사육제의 4 악장을 되게 좋아하고 좀 발랄한 그런 유머러스한 곡들을 좋아하는 것 같아요.

6. 피아노를 이렇게 직업으로 하면서 가장 즐거울 때는 언제인가요?

최규희 : 연습하고 생각했던 게 무대에서 나올 때 인 것 같아요. 물론 무대에서 뭔가 매번 아쉽지만 그래도 뭔가 보여주려고 했던 게 좀 나올 때 그럴 때 좀 즐겁다 느낌을 받았었던 것 같아요. 그리고 뭔가 연습하는 과정에 있어서도 진짜 몇 번을 노력했는데 안 됐는데 마침내 됐을 때. 마침내 소리나 음색을 찾을 때 그때 희열을 느끼는 것 같아요.

7. 조심스러운 질문이지만 피아니스트를 하기 위해서는 집안의 지원이 좀 필요할까요?

최규희 : 진짜 뭔가 사람마다 다른 것 같아요. 그래서 저의 경우로 얘기을 드리면 저는 예고에서 음대를 준비하는 과정에서 부모님께서
진짜 등골 휘겠다. 어디까지 빼먹을 거냐 이런 얘기도 막 농담삼아 하셨어요.

그 정도로 돈이 많이 들었는데 한 타임 레슨비당 10~15 많게는 40 까지 하는 경우도 늘었어요. 근데 그 정도 하는데 이제 그 학교를 갈 때까지 목표를 이룰 때까지 그걸 그 레슨을 한 주에 한 번 최소 한 번 이상 이렇게 몇 번을 받다 보니까 그걸 계산하면 거의 뭐 한 달 과외비 뭐 이 정도로 많이 들 것 같아요. 한두 번 하는데도요.

근데 막 진짜 좋으신 선생님들 같은 경우에는 저희 선생님도 그랬는데 막 1 시간 이렇게 뭔가 철저하게 계산 안 하시고 막 2~3 시간을 한 타임으로 쳐주시기도 하고 막 그랬어서 저는 좀 좋았던 것 같아요.

7-1. 그런 레슨이 있으면 되게 성장을 하는 데 도움이 많이
되나요?

최규희 : 네. 우선은 제가 지금 이 수준에서 듣는 귀랑 선생님이
들을 때 그 귀랑 다르잖아요.
그래서 선생님이 들었을 때는 이게 부족하다가 들리는
거예요. 혼자 연습하면 그런 게 잘 안 들리니까요. 그래서
선생님을 어떤 선생님을 두느냐도 되게 음악의 그런 스타일이 되게
달라져요.

8. 피아노 연습을 보통 하루에 얼마 정도 하시나요?

최규희 : 사실 평소에 몇시간을 하는지 재보지는 않는데요.
졸업연주나 큰 무대가 있다 하면 6 시간 7 시간을 기본으로 하는
것 같아요. 그리고, 대학에 와서는 고등학교 때보다 시간이 뭔가
쪼개서 해야 되는 것 같아요. 수업도 중간에 있고 일정도 있어서요.
그래서 진짜 고등학생 때에 비해서는 연습 시간이 잘 안 나오는 것
같아요.

9. 레슨은 또 식으로 진행이 되나요?

최규희 : 일단, 음악을 쭉 처음부터 끝까지 쳐보고 음악적으로
막히거나 부족한 부분을 선생님들이 집어주는 것 같아요. 그

부분을 같이 해보자. 나라면 이렇게 할 것 같다. 이런 식으로 좀 조언도 해주시고 팁도 주시고 이러면서 시간이 가는 것 같아요.

10. 아까 곡 선정을 선생님이 권유를 해 주시는 경우도 있다고 해주셨는데요. 선생님이 대회에서 잘 먹히는 곡이 무엇인지 어떻게 아는건가요? 잘 먹히는 곡들이 있는 건가요?

최규희 : 한 소절 들으면 딱 안다. 이런 말 있잖아요. 콩쿠르나 아니면 입시 이런 데는 처음부터 끝까지 다 듣지 않고 1, 2분만 듣는단 말이에요. 그래서 그 1, 2분에 좀 많은 걸 보여줄 수 있는 곡들을 선호하는 것 같아요. 1,2분 안에 a 파트도 있고 b 파트도 있고 조금 다양하게 내 거를 보여줄 수 있는 곡들이요.
그리고 선생님이 학생을 파악해서 이 학생은 좀 힘이 좋다 아니면 이 학생은 좀 섬세하다. 이러면 이제 그 학생에 맞는 곡을 추천을 해 주시는 것 같아요.

또, 선생님도 입시를 채점하거나 심사하는 경우가 많아서 대부분 이런 곡들이 조금 좋게 들린다는 경험으로 이야기해주시는 것 같아요.

11. 연주회나 공연을 끝내고 회식이나 뒤풀이 같은 건 하나요?

최규희 : 완전 한다기보다는 저는 하고 싶어 하는 성격인 것 같아요. (웃음). 완전 외향적이죠. 근데 피아노 다른 악기에 비해 개인주의가 좀 심한 것 같아요. 악기 특성상 혼자 독주를 하는 경우가 많으니까 그래서 뒤풀이를 안 하는 사람도 있더라고요. 그래도 저희 20학번은 조금 단합이 잘 되는 편이어서 매번 뒤풀이를 해요. 실기 시험이 끝나면 하고 이번에 졸업 연주 끝나고도 하고 그랬어요..

예고에서 보면 피아노 하는 애들 성격이 딱 제 피아노 하는구나 이렇게 딱 느껴질 정도로 조용한 애들이 더 많고 성악을 한 애들은 오히려 막 활발한 편이에요. 그래서 악기에 따라서 성격 차이도 좀 있는 것 같아요.

12. 피아노를 오래 치시면서 생긴 습관이나 아니면 흔히 직업병이라고 하는 거 있잖아요. 그런 거에는 어떤 게 있을까요?

최규희 : 저도 노래를 잘 못 부르지만 누가 노래를 부를 때 음정이 좀 틀리거나 그러면 괜히 불편한 게 있어요. 물론 말은 안하지만 속으로 생각할 때가 종종 있어요. 그리고 저희는 손톱이 항상 짧게 유지해야하니까 손톱이 긴 사람들 보면 부럽다 혹은 좀 잘라주고 싶다하는 경우도 있어요.

또, 동기들한테 물어봤는데 어떤 애는 의자 끝에 걸쳐 앉는 습관이
있다고 하고, 또 어떤 애는 구부려서 치니까 보통 거북목이나
승모근이 좀 발달되고 아프다고 하더라고요.

13. 피아노로 수익은 보통 어떻게 내나요?

최규희 : 피아노 학원 알바나 피아노 개인 레슨을 하는 것 같아요.
혹은 반주를 해서 얻는 수익이나 콩쿠르 나가서 입상하면은 상금을
받기도 해요. 근데 수업 들으면서 알았는데 문화예술 사업에서
공모전이나 아니면 그 젊은 음악가들을 위한 지원금도 있다고
하더라고요.

13-1. 그 중 가장 비중이 큰 건 뭔가요?

최규희 : 돈이 잘 들어오는 건 아무래도 개인 레슨인 것 같아요.
정기적이진 않지만 큰 편이에요. 또 반주만으로 생활비를 다 버는
친구도 있어요.

14. 대회날이나 공연 당일 컨디션을 관리하는 방법이 따로
있나요?

최규희 : 잘 먹는거요. 솔직히 공연 직전 가면은 입맛도 없고 막 울렁거린단 말이에요. 떨리니까. 근데 저는 오히려 더 먹어요. 힘을 쓸 만큼은 먹어야 된다고 생각해서 더 잘먹는 것 같아요.

15. 대회나 콩쿠르 같은 건 연주회 이런 것보다 좀 더 심사위원한테 맞춰야 되는 그런 게 있나요?

최규희 : 네. 심사를 연주는 관객한테 보여주는 건데 대회나 콩쿠르는 1등 2등을 매겨야 되고 그래야 되니까요. 우선은 안 틀리고 무난한 게 기본인데 거기서 조금 더 돋보이고 더 소리가 좋고 뭐 그런 것까지 더 또 한 단계 신경을 써야해요.

16. 연주자마다 음악에 대해서 표현하는 방식도 다르고 뭐 어떻게 표현해야 될까 고민도 하신다고 얘기 해주셨어요. 이 차이가 진짜 그렇게 큰 건가요? 저는 잘 모르다보니 언제나 정말 얼마나 다를지 궁금해요.

최규희 : 그걸 저도 잘 몰랐거든요. 그런데 이번에 졸업 연주를 준비할 때 두 친구가 같은 곡을 연주를 한 거예요. 두 친구가 연습을 할 때 방에 들어가서 연습을 하니까 누가 치는지 모르는 상태인데도 스타일이 너무 다른 거예요. 아마 a 가 치는 것 같다 저거는 b 다 이렇게 딱 느껴질 정도로 둘의 스타일이 달랐어요,

그거는 우리 동기들끼리만의 얘기인데 이 세상 밖은 더 많잖아요. 그러면 진짜 다 곡마다 해석이 다르겠다. 이게 그때 한번 느껴졌어요.

물론 명음반, 거장들이 연주하는 거를 참고는 하지만 그거 플러스 내 거를 만드는 것 같요. 아무리 거장이긴 하지만 이 부분에 여기는 난 이게 더 좋은 것 같은데 하면서 다르게 내 걸로 만드는 것도 있는 것 같아요.

16-1. 모두 같은 악보를 보고 치는 것인데도 그렇게 다르게 치는 건가요?

최규희 : 그 악보를 본인은 100% 지킨다고 하지만 진짜 따지고 보면 안 지키는 게 대부분이에요.
만약에 악보가 슬러가 있고 스타카토가 있으면 어떤 사람은 진짜 슬러하고 스타카토를 지키는데 그냥 진짜 그렇지 않은 사람들은 그냥 다 슬러로 연주해버린다든가 근데 그 한 두 개의 차이가 모여서 그 결과를 만드는 것 같아요. 또, 자기는 지킨다고 생각을 했는데 까놓고 보면 나 여기 안 지키고 있을 수도 있고, 누구는 0.1초 할 수도 있는 거고 그런 것 같아요.

어쨌든 노래잖아요. 나만의 호흡을 가지고 내 리듬, 내 템포로
연주를 하는 것도 포함인데 어떤 사람들은 말도 빠르고 아니면
성격도 빠른 사람들은 연주도 빨리빨리 하는 경향이 있는 것
같아요. 반면, 느긋느긋한 사람들은 또 자기만의 템포대로 하고요.
진짜 그 사람이 보여진다고 해야 되나.

저는 막 그런 소리를 너무 많이 들었어요. 뭔가 우유부단한 면이
조금 있어가지고 직설적으로 해야 되는 것, 빠르고 되게 예민하게
테크닉적으로 해야 되는 부분들을 저는 잘 못 해내는 거예요.
그래서 그런 거를 해내기 위해서 더 거기에 시간을 많이 쏟고
그랬어요.

게임기획자 인터뷰

인터뷰이 : 게임 기획 및 개발자 Jeff 님

1. 게임 기획자 및 개발자가 된 이유

처음에는 혼자 게임을 만들어 보고 싶다는 생각을 했습니다.
그래서, 게임 개발에 필요한 프로그래밍, 그래픽, 등 전반을 공부
했습니다. 그러나, 정작 게임 개발을 진행하다 보니 혼자 모든 걸
다 한다는 것이 역부족이라는 것을 깨닫고 , 기획자가 되는 쪽으로
경로를 정하게 되었습니다.

2. 게임 기획 프로세스

이 부분은 만드는 사람과 회사의 상황에 따라 다를 수 있습니다만,
아이디어 도출 -> 기술적 개발 가능성 체크 -> 시장성 판단 ->
개발진행 -> 시스템 기획 -> 세계관 설정등 -> 향후 업데이트
기획으로 진행됩니다 .

3. 게임 기획자의 연봉

이 부분은 격차가 존재 합니다 .
그리고, 경력자인가? 이전에 히트 했던 게임을 기획했었는가?에
따라 차이가 큽니다. 대략, 평균으로 따지자면 프로그래머와 그래픽
디자이너의 중간 정도가 될 것 같네요.

4. 게임 기획 시 가장 많이 하게 되는 업무, 협업 과정

개발 의도를 전달하기 위한 문서 작업이 중요하고 많습니다.
무엇보다 다른 개발 파트에게 명확히 개발할 내용을 전달 해야
하기 때문에 문서로만 전달이 안되는 부분들은 회의를 하거나,
또한 개발 파트에서 원활하게 개발을 할 수 있는 방향으로
조율하는 것이 중요한 부분입니다.

5. 게임 기획 시 가장 염두에 두는 것?

이 부분 역시 기획자 , 그리고 회사의 방향에 따라 달라질 수 있는
부분인데, 제 경우는 기,승,전,결 , 이 게임의 시작과 끝을 어떻게
마무리 할 것인가를 먼저 생각 합니다.

5-1. 중독성 있는 게임 vs 퀄리티 높은 게임

중독성 있는 게임을 흔히 과금(캐쉬 아이템)이 있는 게임으로
보자면, 퀄리티 있는 게임은 시나리오가 탄탄하고 유저를 게임내에
끌어들이고자 하는 의지가 있는 게임이라고 생각 합니다 .

6. 게임 출시 후 반응을 어떻게 보며, 반응에 대한 피드백은 어떻게 이루어지나요?

스토어에 런칭 할 경우에는 리뷰를 통해 반응을 알 수 있겠죠? 그
외에 커뮤니티에서 반응을 알 수 있고 , 피드백은 위의 두 부분에
대응 하는 형태가 됩니다 .

6-1. 게임의 수익화는 주로 어떻게 이루어지나요?

- 게임에 광고를 걸거나 , 게임 내에 수익화 아이템 등을 삽입하는
형태가 됩니다 .

7. 게임 개발 시 주로 사용하는 프로그램은 무엇인가요?

여러가지 프로그램이 있지만, 유니티와 언리얼이 90 프로
이상이라고 봅니다 .

8. 게임은 주로 어디에서 배포를 하고, 배포 시 자주 사용하시는
플랫폼이 있나요?

구글스토어, 애플 스토어, PC 의 경우 스팀 이 대부분 입니다 .

9. 일을 하며 가장 희열을 느끼는 순간

아무래도, 처음 게임을 런칭 할 때라고 생각 되네요.

[부록 2] 작가의 말

글을 쓰면서 좋은 이야기란, 좋은 글이란 무엇일까라는 생각을
많이 했습니다. 그리고 내린 결론은 그냥 인물을 따라가자
였습니다. 생생하게 살아있는 묘사, 기억에 남는 대사도 중요하지만
저의 목표는 그 인물들의 행동과 감정을 잘 따라가자 였습니다.
인물을 만든 순간부터 그들은 제 손을 떠나 움직입니다. 저는
그들의 생각과 말을 잘 따라갈 뿐입니다.

그래서 어쩐지 현실의 이야기를 좋아합니다. 지금도 찬영이와
민하가 서울 어딘가에서 자신들의 삶을 잘 살아가고 있으리라
믿습니다. 일상에서의 기적을 꿈꿉니다. 저는 오늘도 밀린 과제들을
해치우고, 내일 있을 시험을 준비합니다. 이런 반복되는 일상에서도
지나가다가 오랜만에 만난 친구를 만나기도 하고 버스 카드를 놓고
온 아주머니에게 '제가 같이 카드 찍어드릴게요' 하는 아저씨도
봅니다. 그냥 이런 우연 같고 따뜻한 순간들이 차곡차곡 모이면
기적이 된다고 믿습니다. 그래서 어쩐지 현실의 우연들이 더 동화
같습니다.

민하와 찬영. 이 둘의 만남도 지극히 우연적입니다. 그런데 그 우연은 따뜻했고 변화를 만들어냅니다. 일상 속의 따뜻함과 우연을 믿으며 살아가는 것이 제가 세상을 살아내는 방법입니다.

글을 쓰면서 고마운 사람들이 많습니다. 일단, 저와 함께 이 책을 만들어 주신 효진님께 감사합니다. 저는 소설을 쓰고 싶었지만, 실제로 책을 내야겠다고 혹은 낼 수 있다는 생각은 한 번도 해보지 못했습니다. 그런데, 그걸 이끌어 주신 분이 효진님이라고 생각합니다. 감사하고 그간 고생했다고 말하고 싶습니다.

책의 표지를 맡아준 민주에게도 고맙다는 말을 꼭 하고 싶습니다. 중학교 때부터 봐왔지만, 참 닮고 싶은 점이 많은 친구입니다. 그녀의 디자인은 그냥 말이 부족할 정도로 좋습니다. 그런데 디자인 실력 말고도 그녀가 갖춘 것이 있다면 소통 능력 같습니다. 항상 원하는 것이 무엇인지 먼저 물어 봐주는 모습이 기억에 많이 남습니다.

인터뷰에 참여해주신 규희님께도 감사의 말을 전합니다. 1 시간 가량의 대화였지만, 글을 쓰는데 많은 도움이 되었습니다. 그리고 웃는 모습이 참 밝으신 햇살 같은 분이라는 걸 느낄 수 있었습니다. 앞으로 좋은 일만 있으시기를 바라겠습니다.

마지막으로, 아낌없이 조언해주신 최진영 교수님과 유고우 교수님께도 감사드립니다. 한 학기동안 많이 배웠습니다.